Maigrir sans se priver

avec le régime volumétrique

Martin Kunz

VIGOT

L'AUTEUR

Martin Kunz dirige la rubrique Sciences et techniques du magazine d'information allemand *Focus*. Après avoir traité pendant de nombreuses années des sujets ayant trait à l'alimentation, il s'est penché sur le problème particulier de l'échec des régimes traditionnels en s'aidant des travaux de chercheurs renommés en nutrition humaine. Et c'est en enquêtant sur les nouvelles pistes de recherche qu'il a découvert des études étonnantes concernant l'importance de l'eau et de la densité énergétique des aliments. Il s'est ainsi aperçu que, sans le savoir – puisqu'il ne connaissait pas encore ces dernières théories –, il avait lui-même toujours suivi un régime « volumétrique ». C'était peut-être la raison pour laquelle ses pantalons des années quatre-vingt lui allaient encore…

Préambule

Le régime « volumétrique » est l'un des derniers régimes mis au point par les chercheurs en nutrition. Fondé sur de récentes découvertes scientifiques, il se différencie des autres dans la mesure où il permet de manger en grande quantité sans prendre de poids. À la base, une constatation simple faite par les chercheurs spécialisés : les aliments contenant peu de calories rassasient tout aussi bien que les autres, et sans faire grossir. Ce phénomène est dû en grande partie à l'élément fondamental qu'est l'eau.

Le point positif de ce régime est que l'on n'a pas à changer radicalement d'habitudes alimentaires, et qu'il faut à peine se priver de quoi que ce soit. En outre, nul besoin de suivre de complexes indications ou de se lancer dans d'interminables calculs : pas de petit carnet à tenir à jour ni de tableaux à consulter pour compter la quantité de lipides absorbés ! Au contraire, du petit-déjeuner au dîner, vous avez le choix parmi une multitude de mets plus délicieux les uns que les autres.

Car le régime volumétrique est une diète, au sens originel du terme, « diète » en grec ne signifiant pas une cure draconienne, mais une bonne hygiène de vie comprenant une alimentation saine et une activité physique adaptée. Grâce à cet ouvrage, vous saurez mieux faire vos courses et mieux cuisiner, vous préparer des repas vraiment sains et repérer d'instinct ce qui est bon pour votre santé et votre corps et ce qui ne l'est pas. Vous découvrirez ce qu'est la densité énergétique des aliments et apprendrez à en tenir compte lors du choix de vos ingrédients et de la réalisation de vos recettes. Si vous avez quelques kilos en trop, une diète vous fera mincir. Vous nourrir suivant le régime volumétrique vous fera donc maigrir lentement, peut-être seulement d'un à deux kilos par mois, mais de manière définitive ! Vous atteindrez votre poids idéal et vous le garderez, en vous faisant plaisir et sans avoir à vous affamer, car vous saurez acheter la nourriture qui vous convient et la cuisiner plus sainement. C'est donc avec beaucoup de joie que je vous accompagne dans cette démarche.

Martin Kunz

Manger à sa faim tout en restant mince

Jamais perdre du poids n'aura été si simple : avec le régime volumétrique, laissez libre cours à votre gourmandise ! Contrôler les calories absorbées devient un jeu d'enfants. Il vous suffit de manger des aliments riches en eau et en fibres et de beaucoup vous hydrater pour atteindre sans effort le poids idéal. Vous serez surpris de constater combien cette nouvelle méthode tient ses promesses.

Le régime volumétrique : se faire plaisir au lieu de subir

Le régime volumétrique est très loin de constituer un régime draconien. Il s'agit plutôt d'une invitation à visiter un véritable pays de cocagne où l'on sait manger sainement et raisonnablement. Pas question de se limiter à quelques aliments déterminés comme dans la plupart des cures amincissantes ; au contraire, cette méthode vous encourage à puiser dans la richesse de la cuisine moderne et internationale. Il vous suffit de rayer quelques rares aliments vraiment mauvais pour la santé de votre liste de courses pour parvenir à mettre en place une alimentation variée et équilibrée qui vous fera plaisir sans vous faire grossir.

Le plein de bons aliments

Il n'y a rien de pire qu'un menu draconien et des fringales à répétition. Les recettes de régime fades ne rassasient personne et n'apportent, en outre, aucune satisfaction. C'est la raison pour laquelle la méthode volumétrique fait passer au premier plan le plaisir que l'on a à manger, à boire et même à grignoter.

Elle vous enseignera comment différencier les bons des mauvais aliments. Il vous sera d'ailleurs facile de renoncer à ces derniers, qui font grossir et anéantissent toute vitalité, lorsque vous aurez compris à quel point les aliments sains et frais du régime volumétrique apportent de la diversité à vos menus : fruits et légumes, produits laitiers, poissons et viandes, mais aussi pains et pâtisseries.
Il est tout à fait possible de surveiller les calories que l'on absorbe sans avoir à les compter en permanence. C'est ce qu'affirme Barbara Rolls, chercheuse en nutrition à l'Université d'État de Pennsylvanie. L'eau que l'on boit, mais aussi l'eau contenue dans les aliments, y est pour beaucoup, comme l'ont démontré récemment des scientifiques allemands.
En suivant ce nouveau régime, ses astuces, ses conseils et ses recettes, vous passerez sans souci à une alimentation vraiment saine. Il suffit de jeter un œil en arrière, dans notre passé lointain, pour comprendre : plus il est facile de se remplir la panse et plus les hommes mangent mal ! Au cours des derniers siècles, la surabondance de nourriture nous a, semble-t-il, fait perdre le sens de ce qu'était une nourriture riche et saine.

Une aptitude perdue

Au cours des millions d'années de l'histoire de l'Humanité, notre corps a su faire preuve d'une étonnante capacité de survie. Nous pouvions rester deux ou trois semaines sans manger et parcourir pendant ce temps montagnes, savanes ou forêts, en buvant juste de temps à autre une gorgée d'eau. Loren Cordain, spécialiste de l'alimentation des hommes préhistoriques à l'Université d'État du Colorado, affirme ainsi que nos ancêtres étaient capables de survivre aux hivers les plus rudes avec très peu de nourriture, en ne mangeant que les quelques rares aliments qu'ils trouvaient, c'est-à-dire le plus souvent du gibier.

Que signifie « volumétrique » ?

INFO

Le mot volumétrique est tiré du terme « volumétrie », d'origine latine. Il fait référence à la mesure des volumes. En nutrition, on utilise aussi ce mot pour désigner la densité énergétique (ou densité calorique) des aliments. Par là, on entend la quantité de calories par gramme de nourriture. Dans la cuisine volumétrique, on privilégiera tous les aliments qui par nature sont pauvres en calories et volumineux, tandis que seront évités, autant que possible, les aliments de forte densité énergétique, comme la charcuterie et les sucreries.

Ce chercheur suppose que nos ancêtres de l'Âge de pierre couvraient leurs besoins avec 65 % de calories d'origine animale et 35 % de calories provenant de plantes sauvages. L'alimentation humaine était donc à l'époque totalement différente de celle que nos supermarchés nous offrent actuellement. La chasse et la cueillette ne fournissaient ni lait, ni produits laitiers – que de très rares glucides de la nature de ceux que l'on consomme aujourd'hui (farine, pommes de terre, riz), et encore moins de sucre.

Retour à l'Âge de pierre

L'espace d'un instant, imaginez que vous êtes retourné à l'Âge de pierre, et faites une petite expérience : comme vos ancêtres, cherchez des aliments équilibrés, frais et riches en vitamines au supermarché. Les gènes de la chasse et de la cueillette sommeillent toujours en vous, alors pourquoi ne pas les utiliser ? Peu importe que vous soyez à la recherche d'un menu de célibataire ou que vous poussiez votre Caddie dans le but de nourrir cinq personnes : entre les bâtonnets de poisson pané et les boîtes de raviolis, faites l'effort de songer aux hommes préhistoriques, et essayez de rapporter la meilleure nourriture possible à la maison. Au lieu d'hésiter, comme eux, entre les fruits toxiques de la belladone et des cerises comestibles, vous devrez simplement choisir entre frites congelées et pommes de terre, saucisses de Francfort en boîte et morceau de viande maigre à la coupe.

Pour prendre la bonne décision, il vous faudra probablement vous intéresser d'un peu plus près à la nourriture.

Vous avez besoin de connaître la provenance, le mode de fabrication et la composition des aliments qui vous sont offerts comme c'était le cas il y a

À la chasse aux aliments, l'essentiel est de faire le bon choix.

20 000 ans : celui qui était bon chasseur, avait une connaissance approfondie des plantes et savait préparer et conserver la nourriture était celui dont le clan se portait le mieux…

L'homme n'a pas été conçu pour la surabondance

Ce qui différencie nos ancêtres, c'est leur savoir-faire et leur instinct prononcé qui leur permettaient de toujours opter pour les aliments contenant les substances nutritives nécessaires. Selon Loren Cordain, à l'Âge de pierre, les hommes se précipitaient sur les entrailles et le cerveau des animaux qu'ils avaient chassés. Ils adoraient, par exemple, manger directement dans le crâne de l'antilope qu'ils venaient de tuer, car ils avaient besoin de beaucoup de lipides et de protéines. Plus ils faisaient de réserves de calories, plus ils avaient de chances de survivre aux futures chasses et aux périodes de disette.

Notre réalité est tout autre. Au lieu d'emmagasiner les calories, nous devons apprendre à en réguler l'apport. En effet, si nous avons hérité de l'appétit et des possibilités de stockage de graisses d'un chasseur de gros gibier, de surcroît coureur de marathon, nous nous dépensons à peine plus qu'une tortue en pleine nature ; l'homme européen moderne parcourt en moyenne environ deux kilomètres à pied par jour, et cela comprend le chemin menant à la cantine, à la machine à café et au réfrigérateur !

Puisque nous ne chassons plus les antilopes dans la savane, mais faisons la queue devant le gril pour acheter notre morceau de poulet, il nous faut adapter notre approvisionnement en calories à notre confort de vie. À l'Âge de pierre, l'homme pouvait sans problème avaler un lapin ou un canard à lui tout seul par jour ; comme nous nous dépensons beaucoup moins que lui, quelques petites portions de viande dans la semaine suffisent, d'autant que nous pouvons nous remplir l'estomac de fruits, de légumes et de produits laitiers. À ces derniers s'ajoute un excès d'aliments riches en glucides qui nous apportent beaucoup trop d'énergie par rapport à nos besoins. Résultat : nous prenons du poids. Le succès de l'agriculture extensive, avec le flux incessant de nourriture qu'elle impose, et l'accroissement constant de la production de mets préparés, nous ont menés à nous confronter à un problème qu'ignorait l'homme préhistorique : la surcharge pondérale.

Comment le sucre perturbe nos fonctions gustatives

Notre consommation massive et croissante de sucre a par ailleurs largement perturbé notre sensibilité gustative. Si, face à des aliments à goût amer ou

fortement pimentés, nous réagissons très vite d'instinct et recrachons ce que notre organisme tient pour des mets toxiques ou avariés, nos réflexes vis-à-vis du goût sucré ne sont plus ce qu'ils devraient être, puisque souvent nous adorons cela.
Or, normalement, nous devrions détester les produits trop sucrés. Voilà ce que des chercheurs ont découvert lors de recherches effectuées sur des enfants de peuples dits primitifs : après avoir offert des gâteaux aux enfants de la tribu étudiée, ils se sont aperçus que ces derniers les recrachaient aussitôt parce qu'ils étaient beaucoup trop sucrés pour eux. Loren Cordain analyse cette réaction comme la marque de la détérioration de la fonction gustative dans les sociétés dites plus développées. Une expérience similaire effectuée en 1926 avait déjà donné les mêmes résultats. On avait alors observé pendant plusieurs mois le comportement de trois bébés face à la nourriture en leur laissant la possibilité de choisir ce qu'ils voulaient manger. Un tel dispositif de recherche serait jugé irresponsable de nos jours, mais les résultats n'en ont pas moins été très intéressants. Les enfants en bas âge, dont certains avaient tout juste neuf mois, ont fait leur choix parmi un large éventail de produits frais d'origine animale ou végétale (lait, pommes, bananes, jus d'orange, petits pois, viande cuite) et ont réussi seuls à se composer un régime optimal répondant à toutes les exigences de leur corps. Il apparaît donc clairement que les jeunes enfants possèdent une sorte de faculté biologique qui leur permet de choisir la nourriture qui va répondre aux besoins de leur organisme. Ce sont les parents au mauvais comportement alimentaire qui vont détruire par la suite cette aptitude.

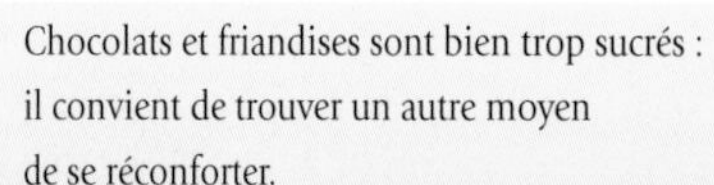

Chocolats et friandises sont bien trop sucrés : il convient de trouver un autre moyen de se réconforter.

Ce sens naturel de l'alimentation équilibrée est sans aucun doute transmis aux nouveau-nés via l'allaitement. Cet aliment primaire sorti du sein maternel se compose en effet de 60% de glucides, de 30 % de lipides, de 8,4 % de protéines et de 1,6 % de vitamines et minéraux, soit une répartition qui correspond étonnamment aux recommandations actuelles de la plupart des nutritionnistes.

La composition du lait maternel répond de manière idéale aux besoins du bébé.

Les régimes et leurs promesses

Un bon régime doit apporter au corps tous les nutriments dont il a besoin, et lui permettre d'atteindre le poids idéal et de le garder tout au long de sa vie. Malheureusement, les causes du surpoids sont si multiples et souvent si difficiles à contrôler qu'il ne suffit pas de se rendre compte que l'on ne vit pas sainement pour se reprendre en main. C'est la raison pour laquelle – pour réussir – un régime doit non seulement modifier l'alimentation, mais aussi avoir plus d'avantages (saveur, satiété, simplicité de préparation) que d'inconvénients (renoncement aux mets très gras et très sucrés). Le mode d'alimentation des uns et des autres découle d'un processus d'apprentissage lourd d'émotions. Le succès ne sera donc au rendez-vous que si l'on peut sentir clairement les avantages d'une alimentation saine, c'est-à-dire une meilleure forme physique, de meilleures performances et une meilleure santé. Seuls ces arguments peuvent convaincre de changer de comportement. Et c'est justement ce qu'offre le régime volumétrique qui se fonde sur les dernières découvertes scientifiques internationales.

Qu'est-ce qui distingue un bon régime des autres ?

Le Programme National de Nutrition Santé, auquel ont collaboré la plupart des experts français en la matière, a développé les règles principales d'une alimentation saine (voir aussi le site Internet www.mangerbouger.fr). Selon ces dernières, en dehors de la consommation d'au moins 5 fruits et légumes par jour, plus de la moitié de l'apport énergétique quotidien devrait provenir de bons glucides (céréales complètes, pommes de terre, pâtes), tandis qu'environ 30 % proviendraient de lipides (viande ou poisson, ou huile de colza) et enfin 15 à 20 % de protéines (notamment de produits laitiers maigres comme le fromage frais et le yaourt). C'est cette même répartition qu'un régime doit viser, l'objectif n'étant pas de proposer une douloureuse cure de dégraissage mais une hygiène de vie où le plaisir passe au premier plan. L'essentiel est de savoir établir des priorités et de passer plus de temps chez le marchand de primeurs que chez le charcutier, le fromager ou le confiseur : dès que vous aurez compris cela, vous aurez déjà fait un grand pas en avant.

Manger correctement, toutefois, ce n'est pas seulement changer de menu ; il faut aussi changer d'hygiène de vie. Pour réussir un régime, il faut remplir plusieurs conditions. La plus importante étant que la quantité de calories absorbée ne soit pas plus importante que celle brûlée par l'organisme. Il est aussi vital que le régime prescrit ne soit pas impossible à mettre en œuvre, que ses indications ne soient pas trop complexes et que ses recettes ne soient pas trop onéreuses. Enfin, un bon régime doit rassasier et être suffisamment diversifié pour que l'on n'ait pas à manger la même chose tout au long de la semaine.

Le régime volumétrique répond à toutes ces attentes. Il vous suffit de consommer en majorité des aliments de faible densité énergétique (voir les tableaux à partir de la p. 72) et de suivre les conseils donnés pour faire vos courses ou préparer vos recettes. C'est une infinité de possibilités qui vous sont offertes pour le petit-déjeuner, le déjeuner, le dîner ou le goûter. Vous pourrez laisser libre cours à votre créativité, alors même que votre consommation de calories restera limitée, si bien que vous atteindrez forcément votre poids idéal et que vous le garderez.

Pourquoi les régimes traditionnels échouent-ils ?

Les chercheurs partent de la constatation que 80 à 90 % des régimes échouent, et que la moitié des volontaires à l'amaigrissement reprennent au bout d'un an plus de poids qu'ils en ont perdu en se torturant : c'est le tristement célèbre effet yo-yo. Deux soirées italiennes et les kilos en trop sont de retour. D'ailleurs, ce qui est surprenant avec ce type de régimes, ce ne sont pas les quatre cinquièmes des postulants à la minceur qui ne parviennent pas à les suivre, mais bien les 10 à 20 % de personnes qui réussissent vraiment à maigrir – même si ce n'est que temporaire – en suivant leurs recettes.

Voici un exemple de la spirale de problèmes que peut provoquer un régime courant :

- Véra est depuis de nombreuses années victime de l'effet yo-yo, mais elle doit absolument se prendre en main car elle souffre, du fait de son surpoids, de graves problèmes de santé. Elle est donc dans l'obligation d'agir pour maigrir de façon définitive, d'au moins 10 kg, et si possible de 20 kg ou plus.
- Faire les courses, cuisiner et manger devient pour elle une fois de plus un véritable calvaire. Elle se force à réduire considérablement les quantités de nourriture qu'elle absorbe : elle compte les calories, se contente de minuscules portions et essaie de calmer son grand appétit avec des pilules. Cependant, elle continue d'avoir faim matin, midi et soir.
- L'« hormone de la faim », la ghréline, répond en effet à l'agression du régime en provoquant une sensation de faim encore plus grande. En même temps, les coupes drastiques effectuées dans les repas fatiguent Véra qui devient en conséquence moins active. Et sa masse musculaire fond du fait des carences de son alimentation. Résultat : son corps brûle encore moins de calories qu'avant et forme plus facilement des bourrelets de graisse.
- Comme elle ne peut plus se faire plaisir via la nourriture, Véra a encore moins le moral et doit faire face à un stress accru. Finalement, elle est très vite tentée de manger des aliments interdits, et en trop grande quantité : le régime échoue.

> Le bon régime est celui qui permet de maigrir sans frustration.

D'où viennent nos problèmes de poids ?

Selon le magazine allemand *Focus* (2003), les Allemands – comme leurs voisins européens – n'ont jamais été aussi gros qu'aujourd'hui. Face à la question « Qu'est-ce qui vous fait grossir ? », une immense majorité de personnes n'a aucune réponse à donner ; chacun cherche encore la recette minceur miracle. Malheureusement, la pilule magique capable de nous faire maigrir n'a toujours pas été découverte et risque de ne pas l'être avant de longues années. Alors, en attendant, on accuse l'hérédité, la malveillante industrie alimentaire, les chaînes de fast-food sans scrupule, voire tout simplement le destin.

Mais si nous sommes de plus en plus gras, c'est en réalité surtout du fait de notre sédentarité exagérée et de nos habitudes alimentaires nocives, une affirmation fondée sur les résultats de nombreuses recherches et enquêtes réalisées par des institutions privées et des pouvoirs publics de plus en plus inquiets. En France, un homme et une femme sur trois souffrent de surcharge pondérale selon le magazine *L'Express* (20/09/2006). La raison en est simple : une trop grande consommation de graisse, de sucre et d'alcool. Dès leurs 6 ans, annonce le

Beaucoup d'enfants adorent les fast-foods et adoptent, en y mangeant trop de graisses et de glucides, un mauvais comportement alimentaire.

magazine allemand *Spiegel* (2004), les enfants d'outre-Rhin avalent beaucoup trop de viande et de charcuterie, contre à peine la moitié des quantités de fruits et de légumes recommandées. Quant aux adultes, ils absorbent quotidiennement bien plus que les 1 900 kcal (kilocalories) conseillés par les experts pour les femmes et les 2 100 kcal pour les hommes. Nombreux sont ceux qui ingèrent 3 000 kcal ou plus par jour. Les Occidentaux consomment beaucoup trop de produits laitiers gras et de charcuterie, ce qui est mauvais pour leurs hanches.
Or les psychologues qui se sont penchés sur le problème de l'alimentation ont établi depuis longtemps que l'appétit et la satiété sont des processus d'apprentissage. Ainsi, l'une des plus grosses erreurs consiste à absorber des portions de nourriture de plus en plus importantes. Des expériences réalisées dans des restaurants américains ont démontré que plus les portions offertes étaient grosses et plus les hôtes mangeaient. Cette constatation n'a toutefois pas seulement intéressé les chercheurs en nutrition : les chaînes de fast-food ont saisi la perche et commencé à proposer avec succès des menus XXL (c'est-à-dire des quantités XXL de calories !).

Faire un régime : une mode dénuée de sens

La plupart des individus souffrant de surpoids sont conscients de leur problème. Ce n'est pas un hasard si presque tous souhaitent mincir. Jusqu'à aujourd'hui, la manière de lutter dépendait de la mode en vigueur. Les régimes minceur proposés répondaient rarement à l'état des dernières découvertes faites en matière d'alimentation. De véritables médecins ont même souvent, par le passé, propagé des méthodes aussi stupides que dangereuses, qui ont certes vidé les poches de leurs patients, mais n'ont eu aucun effet à long terme sur leur balance.

L'Impératrice Sissi d'Autriche au régime

Pendant longtemps, une silhouette ronde a été le symbole du bien-être et d'un certain statut social. Toutefois, à la fin du XIXe siècle, la minceur est devenue à la mode, et les premiers manuels de régime firent leur apparition. Au lieu de se lacer la taille – ce qui était douloureux – de plus en plus de femmes se sont mises à utiliser des laxatifs ou à s'adonner à de véritables cures amincissantes. On raconte de l'Impératrice Sissi d'Autriche qu'elle s'était astreinte à un régime draconien à base de protéines, et faisait énormément de sport (marche, gymnastique sportive, équitation), afin de se rapprocher du nouvel idéal de silhouette féminine de son époque. Durant les premières décennies du XXe siècle, une grande discussion eut encore lieu entre les adeptes de la médecine classique et ceux de la médecine douce, pour savoir si on luttait mieux contre la surcharge pondérale avec des recettes à base de viande ou des recettes végétariennes.

Formules magiques et grandes promesses

Après la Seconde Guerre mondiale, on a vu apparaître sur le marché les premiers aliments de régime : des boissons ou des soupes industrielles qui devaient nous remplir l'estomac sans nous faire grossir. Ces produits artificiels, conçus en laboratoire, contenaient certes moins de calories et donnaient une impression de satiété en faisant gonfler l'estomac. Seule une toute petite partie de leurs consommateurs a cependant eu la satisfaction de maigrir à long terme ; ce qui n'empêche pas certaines de ces poudres, la plupart à base de protéines, de se vendre encore aujourd'hui. Les premiers appareils de massage censés faire disparaître nos bourrelets promettaient déjà il y a cinquante ans les mêmes effets miraculeux, comme s'il était possible de faire fondre ses hanches trop larges en étant confortablement installé devant sa télévision.

L'hystérique chasse aux graisses

Durant les décennies 1970 et 1980, les lipides sont devenus la bête noire des spécialistes de l'alimentation et ont été éliminés – surtout aux États-Unis – de très nombreux aliments. Les magasins se sont mis à vendre des produits à teneur réduite en graisses, voire à 0 % de matières grasses, et fromages, yaourts, charcuterie, chocolat, biscuits allégés ont envahi les rayons. Et même du beurre avec deux fois moins de beurre dedans ! Cela n'a pas empêché les hommes de continuer de grossir par-tout dans le monde, et surtout là où la « chasse aux graisses » était intensive, c'est-à-dire aux États-Unis. Une

INFO

Viande, poisson – un luxe

- Le cardiologue new-yorkais Richard Atkins a mis au point dans les années soixante un régime, selon lui révolutionnaire, et a propagé l'idée qu'on pouvait mincir facilement en renonçant aux glucides. Les médecins ne sont pas les seuls à contester le bien-fondé d'une alimentation presque exclusivement à base de viande, de fromage, de produits laitiers, de charcuterie ou de poisson.
- Ce serait aussi une catastrophe écologique : en effet, pour produire la quantité de protéines animales nécessaires, il faudrait consommer beaucoup plus d'eau et d'énergie que ce que l'on utilise pour une alimentation équilibrée composée de produits végétaux et animaux.
- En outre, il faut considérer que les animaux ne transforment que 10 % de leur nourriture en viande. Ce qui implique que, d'un point de vue écologique, la viande et le poisson sont de véritables produits de luxe.

Les pâtes complètes rassasient longtemps et ne font pas grossir.

conclusion s'impose alors : les régimes consistant uniquement en une réduction de la consommation de lipides ne sont pas à la hauteur de la tâche.

Régime Low-Carb : plus jamais de pâtes ?

Depuis quelque temps, ce sont les glucides qui sont désignés comme grands coupables. Les régimes Low-Carb se sont propagés : il s'agit de manger le moins possible de pommes de terre, de pâtes et de sucre en invoquant le fait que ceux-ci provoquent une augmentation de la glycémie, et, en conséquence, une sécrétion plus importante d'insuline. L'insuline permet au corps de tirer de l'énergie à partir des glucides (mais aussi des lipides et des protéines) et de la rendre utilisable. Et elle est, il est vrai, responsable du stockage de l'énergie superflue sous forme de réserves de graisses. Marion Grillparzer, auteur d'un livre sur les aliments brûle-graisses, en parle donc comme de l'« hormone qui fait grossir ».

L'important dans un régime Low-Carb est de tenir compte de la charge glycémique (CG) des aliments (laquelle dépend de l'index glycémique [IG]). Ce chiffre permet de faire la différence entre les bons et les mauvais glucides. Les premiers, de faible charge glycémique, se trouvent par exemple dans les aliments composés de céréales complètes, les légumes et les fruits ; ils font monter lentement le taux de glucose dans le sang et rassasient pendant plus longtemps. Les seconds, à charge glycémique plus élevée, se trouvent dans le sucre, la farine blanche et les friandises ; ils font rapidement grimper la glycémie, et provoquent irrémédiablement des fringales. Un régime Low-Carb équilibré, comme un régime à index glycémique bas, consiste donc surtout à éviter les mauvais glucides et à manger les bons. Un régime Low-Carb sévère, en revanche, interdit presque tous les glucides. La conséquence en est souvent une trop forte consommation de lipides et de protéines, ce qui est déconseillé par la plupart des nutritionnistes. L'excès de graisses ou de protéines dans l'alimentation est en effet mauvais, tant pour la digestion que pour le système rénal ou le cholestérol.

Peu importe le régime à la mode, mangez raisonnablement !

Le docteur Andreas Pfeiffer, chercheur au sein de l'Institut al[lemand] de recherche en nutrition, connaît bien le problème d[es] régimes. S'il avoue que n'importe quel régime privatif peut fai[re] perdre quelques kilos, sur le long terme, c'est, selon lui, u[n] nouveau mode d'alimentation qu'il faut adopter, avec une nour[ri]ture la plus variée et la plus équilibrée possible. Il défend le régi[me] méditerranéen (voir p. 31) qui prescrit une grande consommati[on] de légumes, comme le régime volumétrique.

Une alimentation pauvre en glucides comme celle d'un régime Low-Carb permet-elle vraiment de perdre du poids ?

L'idée de faire fondre ses réserves de graisses en réduisant l'absorption de glucides ou en y renonçant complètement n'est pas vraiment nouvelle. C'est Atkins qui l'a relancée dans les années soixante, et nous la retrouvons aujourd'hui, sous une autre forme, à la base des régimes Low-Carb. Plusieurs études médicales sérieuses affirment, arguments à l'appui, que les patients peuvent perdre du poids grâce à ce type de régime. Mais les résultats sont les mêmes pour beaucoup d'autres régimes. Il est évident qu'en s'astreignant à une réduction de l'apport calorique ou de la consommation de lipides, on peut perdre quelques kilos en un mois. Celle qui réussit à ne se nourrir que de soupe aux choux maigrira aussi très vite et beaucoup.

90 % des régimes mènent à l'échec à long terme : qu'en est-il du régime Low-Carb ?

C'est le gros problème de tous les régimes : ils permettent de mincir à court terme, mais un an après, le poids de départ est de nouveau atteint, voire dépassé. Les études réalisées jusqu'à maintenant sur les régimes à faible teneur en glucides couraient sur six mois et concernaient des patients qui absorbaient dans l'ensemble peu de calories. Personne n'a prouvé que les régimes Low-Carb fonctionnaient si l'on maintenait la quantité de calories absorbée.

Doit-on alors de nouveau compter les calories ?

Nous brûlons les calories : si nous absorbons plus de calories que nous n'en brûlons, nous grossissons. L'Organisation Mondiale de la Santé (OMS) conclut dans un rapport que les preuves sont insuffisantes pour que l'on puisse conseiller les régimes Low-Carb. Des nutritionnistes craignent même des effets secondaires à long terme sur la santé, qui seraient dus à une trop forte consommation de graisses animales. Mais dans les études à court terme, réalisées sur des régimes à apports réduits en glucides, on n'a pu constater aucune hausse du cholestérol ou du risque d'infarctus du myocarde, comme on avait pu le craindre au départ du fait de la surconsommation de lipides.

Est-ce que cela a un sens de composer ses menus en fonction de l'index glycémique des aliments ou de leur charge glycémique ?

Les expériences menées sur des animaux ont montré que les aliments de haute charge glycémique entraînaient une prise de poids plus rapide, mais ces études n'ont été effectuées que sur une durée de six semaines. Il est impossible de savoir si l'index, ou la charge, glycémique peut constituer le repère par rapport auquel nous alimenter jusqu'à la fin des temps. Par ailleurs, ce régime n'est pas simple à suivre au quotidien.

Quels seraient vos conseils en matière d'alimentation ?

Pour perdre du poids à court terme, les régimes Low-Carb, Atkins ou à faible charge glycémique fonctionnent très bien. Mais pour perdre du poids à long terme sans jamais le reprendre, je conseillerais un régime méditerranéen pauvre en graisses. Les études scientifiques abondent en ce sens et les preuves ne manquent pas. En suivant ce régime et en faisant en outre régulièrement du sport, on peut maintenir son poids idéal, tout en réduisant considérablement le risque d'avoir du diabète ou une maladie cardiovasculaire.

Un régime oui, un carcan non

Les experts doutent qu'on puisse se nourrir longtemps en réduisant au minimum la consommation de pain, de pâtes, de céréales ou de pommes de terre. Cela appauvrit en effet énormément les menus. D'ailleurs, les faits corroborent leurs impressions dans la mesure où ceux qui suivent un régime Low-Carb finissent toujours par abandonner au bout de quelques semaines. Après un véritable boom aux États-Unis, l'enthousiasme pour cette méthode est bien évidemment retombé outre-Atlantique comme ailleurs.

Attendre la pilule miracle ?

Il y a quelques années, des pilules ont fait fureur qui empêchaient la formation de tissus adipeux dans le corps ou anéantissaient la sensation de faim directement dans le cerveau. Ces produits pharmaceutiques ne constituent au mieux qu'une aide supplémentaire pour les patients qui ne peuvent s'empêcher de consommer beaucoup trop de graisses. Les pilules minceur ne sauraient en aucun cas remédier à la source du mal, soit l'absorption d'une trop grande quantité de calories, due à un comportement alimentaire malsain depuis des décennies.

Les secrets du régime volumétrique

Atteindre le poids idéal et le garder, c'est ce que je vous ai promis plus haut. Alors passons aux actes. Tandis que les autres régimes et cures minceur reposent sur des théories complexes, impliquent de suivre des règles alimentaires strictes et de respecter tout un ensemble d'interdits, le régime volumétrique ne se fonde que sur un seul et même principe : pour répondre aux besoins de notre corps qui brûle et stocke des calories, et à notre souhait d'être rassasiés sans pour autant avoir de bourrelets, le mieux est de manger le plus possible d'aliments de faible densité calorique et le moins possible d'aliments à forte densité calorique (qui rassasient peu et font grossir).

Secret numéro un : l'eau

Observez la photographie ci-contre et demandez-vous laquelle de ces deux garnitures ajoutées à une salade de fruits vous rassasierait le mieux. Comparons leurs densités énergétiques :

- 15 grains de raisin pèsent environ 100 g et contiennent environ 70 calories.
- 15 grains de raisins secs pèsent – suivant les types – entre 6 et 20 g et renferment aussi à peu près 70 calories.

Évidemment, 15 grains de raisin frais rassasient bien plus que 15 grains de raisins secs, alors même que la cuillère à soupe remplie de raisins secs renferme autant de calories que l'assiette de raisin frais.

En effet, les raisins secs ne contiennent plus d'eau, mais le sucre est resté à l'intérieur et, avec lui, ses calories.

Deux volumes différents pour le même nombre de calories : mais les 15 grains de raisin frais rassasient plus que les 15 grains de raisins secs.

Les aliments qui contiennent beaucoup d'eau – le raisin frais en est composé à plus de 80 % – rassasient bien. Les aliments renfermant peu d'eau – les raisins secs n'en contiennent que 5 à 20 % – comportent proportionnellement plus de glucides (sous forme de sucre, de farine ou d'amidon), de protéines ou de lipides, ce qui implique un plus gros apport calorique. En conséquence, ils font davantage grossir, tandis que ceux qui sont riches en eau deviennent des amincissants naturels.

Ce principe peut s'appliquer à d'innombrables aliments et être adapté à tout autant de recettes : à partir de pommes de terre, on peut fabriquer un sachet de chips bien grasses, qui vont vous apporter 5 kcal par gramme : c'est énorme, si l'on considère qu'il suffit de deux gros sachets de chips pour combler les besoins en calories de toute une journée (soit environ 2 000 kcal). Mais il est aussi possible de faire cuire ses pommes de terre à l'eau – elles ne contiendront alors que 0,6 kcal par gramme – ou d'en faire une soupe qui ne vous apportera que 0,4 kcal par gramme. En théorie, vous disposeriez de 5 litres de cette soupe pour combler vos besoins énergétiques de la journée.

On dit parfois que le régime volumétrique consiste à diluer ses aliments avec de l'eau pour en faire baisser la densité calorique afin qu'ils rassasient plus et fassent moins grossir. Théoriquement, cela fonctionne, c'est vrai, mais plus rien n'aurait de saveur, alors que le but est de mettre en place un nouveau mode d'alimentation avec des menus variés et... bons. Vous découvrirez dans les chapitres suivants combien les possibilités d'accommoder fruits et légumes riches en eau et en vitamines sont innombrables et peuvent s'intégrer dans vos menus quotidiens, sous la forme de plats volumineux, mais peu caloriques.

Secret numéro deux : les fibres

Dans la plupart des régimes, les fibres, comme l'eau, sont considérées comme de simples substances de remplissage, mais des recherches effectuées par des médecins ont montré qu'on avait sous-estimé jusqu'à présent le rôle de ces substances issues de la paroi cellulaire ou du cytoplasme des végétaux. Les individus qui consomment 30 grammes de fibres par jour (contre 17 grammes en moyenne) améliorent leur capital santé :

- Les fibres gonflent dans le système digestif et entraînent naturellement une sensation de satiété.
- Elles facilitent la digestion en stimulant la fonction intestinale, ce qui constitue la meilleure prévention contre le cancer du côlon.

INFO

Les sources de fibres

Les graines de lin sont la meilleure source de fibres, car elles en sont composées pour plus d'un t
(38 %). Mais il existe aussi de nombreux autres fruits, légumes ou aliments transformés capal
d'apporter beaucoup de fibres à vos repas. Comparez, dans le tableau ci-dessous, la teneur en fil
de différents aliments :

Teneur en fibres de différents aliments

Plus de 5 %	Entre 2 et 5 %	Moins de 2 %
Galette suédoise complète, blé noir, cassis, coing, flocons d'avoine, noix, pain complet, pâtes complètes, pain noir, semoule de blé dur, baies de sureau	Abricot, artichaut, avocat, banane, carotte, choux de Bruxelles, choucroute, chou-fleur, chou vert, courge, fenouil, framboise, haricot, lentille, myrtille, oignon, poire, pois, pomme	Ananas, aubergine, cerise, concombre, courgette, fraise, laitue, mandarine, melon, pêche, prune, raisin, tomate

- Les substances résultant de la digestion des fibres augmentent le bon cholestérol qui correspond au cholestérol transporté par les lipoprotéines à forte densité (HDL = High Density Lipoprotein), et font descendre le mauvais cholestérol c'est-à-dire le cholestérol transporté par les lipoprotéines de faible densité (LDL= Low Density Lipoprotein). Les fibres sont aussi efficaces contre les inflammations et l'on fait actuellement des recherches concernant leur action préventive contre différents types de cancers.

C'est la raison pour laquelle les fruits, les légumes et les produits à base de céréales complètes, lesquels contiennent beaucoup de fibres et affichent une faible densité énergétique, ainsi que l'eau et les infusions aux plantes et aux fruits, sont essentiels à l'alimentation volumétrique.

Trop simple pour être vrai ?

Cela paraît trop simple pour être vrai : pourtant c'est indéniable, l'eau n'est pas seulement le meilleur moyen de se désaltérer, mais c'est aussi l'aliment idéal pour mincir et rester en forme. Certes, c'est récemment que l'on a découvert que l'eau ne

L'eau, un élixir de vie : à toutes les époques, on a eu recours à ses pouvoirs curatifs.

contenait aucune calorie et forçait en outre le corps à en brûler. Mais cela fait très longtemps que l'homme fait confiance à cet élément fondamental. L'effet curatif de l'eau fait l'objet d'une très longue tradition. Mille ans avant la naissance du Christ, les premiers Celtes, qui vivaient dans la région actuelle de la Rhénanie en Allemagne, savaient déjà comment utiliser de manière systématique les sources d'eau minérale. Pline l'Ancien (23-79 apr. J.-C.) témoi-gne, au premier siècle, du fait que l'on exhortait les malades de son époque à boire énormément d'eau. Les cures d'eau étaient utilisées chez les Romains contre toutes sortes de troubles chroniques, et face aux problèmes digestifs. Au XIVe siècle, des médecins italiens ont rédigé les premières études concernant les effets curatifs des bains d'eau et de l'absorption d'eau.

Le médecin humaniste Jakob Theodor (1522-1590) est à l'origine de l'un des premiers ouvrages de balnéologie (étude de la thérapie par l'eau) les plus connus. Il octroyait des pouvoirs miraculeux à diverses eaux minérales. La source acidulée de Niederselter, écrivait-il, avait la propriété de rendre plus mince. Il indiquait déjà, il y a 500 ans, les effets diététiques de l'eau et la considérait comme un véritable médicament : selon lui, elle renforçait le cœur et tous les organes internes ainsi que la mémoire et la raison, améliorait la qualité de la semence de l'homme et aidait à la conception.

Mais les études de Jakob Theodor reposaient sur ses propres expériences. Heureusement, il y a peu de temps, des chercheurs ont démontré scientifiquement que l'eau était d'une grande aide pour mincir. Pas seulement par le volume qu'elle occupe en remplissant l'estomac et en donnant une impression de satiété, mais aussi à cause d'un phénomène physiologique surprenant (voir p. 26).

Pourquoi l'eau nous fait-elle brûler des calories ?

Le Dr Michael Boschmann, nutritionniste au centre Fran
Volhard de recherche clinique à l'hôpital de la Charité
Berlin, a découvert un phénomène incroyable : lorsqu'on b
de l'eau, on consomme plus d'énergie ; le corps brûle plus
calories que si l'on ne buvait pas. L'eau ne contenant pas
calories, à chaque verre correspondent des calories en moi
Un litre d'eau plate à température ambiante représente u
dépense énergétique de 100 kcal, une aide non négligeab
dont le régime volumétrique sait tirer avantage.

Comment avez-vous découvert que le fait de boire de l'eau augmentait la consommation d'énergie par le corps ?

Au départ, c'est l'un de mes collègues, le Dr Jens Jordan, qui a découvert, il y a plusieurs années, un fait particulier chez des patients âgés atteints de troubles sévères du système nerveux sympathique. Ces patients souffraient d'énormes variations de tension, qui apparaissaient surtout lors du passage de la position couchée à la position debout. Le Dr Jordan a alors remarqué que l'état de ces patients s'améliorait spontanément et significativement après qu'ils avaient bu un demi-litre d'eau. On pouvait mesurer une hausse significative de la tension d'environ 30 mmHg. Des études comparatives effectuées sur des personnes âgées en bonne santé ont montré que leur tension montait après qu'elles avaient bu de l'eau, mais moins. Chez les sujets jeunes, presque aucune incidence ne s'est fait sentir sur les fonctions circulatoires et cardiaques. Néanmoins, on a remarqué chez les jeunes sujets sains une augmentation significative de l'activité du système nerveux sympathique.

Qu'est-ce qui se passe alors dans le corps d'une personne normale en bonne santé ?

Si l'on constate chez un sujet jeune et en bonne santé que l'activité de son système nerveux sympathique augmente après qu'il a bu un demi-litre d'eau, mais que l'on ne remarque aucune incidence sur son pouls et sa tension, il ne reste plus comme alternative que de possibles modifications de son métabolisme. Nous avons donc cherché une expérience adaptée visant à confirmer cette dernière hypothèse.

Comment se sont déroulées ces expériences ?

Nous avons pratiqué notre expérience sur 7 femmes et 7 hommes, auxquels nous avons demandé de venir le matin à jeun au centre de recherche. Nous avons d'abord commencé par mesurer, avec ce que l'on appelle un calorimètre, les dépenses énergétiques de leur corps au repos : pour ce faire, nous avons mesuré, sur un laps de temps déterminé, leur consommation d'oxygène et leur production de CO2 à partir de l'analyse de l'air inspiré et expiré ; cela nous a permis d'évaluer ce que l'on appelle la dépense énergétique de repos (DER) ou le métabolisme de base. La DER représente environ 50 à 60 % de notre dépense énergétique globale. Les sujets ont ensuite bu un demi-litre d'eau et l'on a de nouveau mesuré leur dépense énergétique. Il est alors apparu que celle-ci augmentait de plus de 30 % en une heure chez les femmes et les hommes de façon identique.

Où le corps va-t-il puiser ce surplus d'énergie ?

Nous avons alors observé un phénomène intéressant : chez les hommes, l'augmentation des dépenses énergétiques s'est accompagnée d'une augmentation de la consommation de lipides, tandis que les femmes consommaient plus de glucides. Les raisons de cette différence ne sont pas encore très claires. Néanmoins, l'important, c'est que nous avons démontré que le fait de boire de l'eau – aliment à 0 calorie – augmente la dépense de calories, indépendamment du sexe. C'est une découverte nouvelle et surprenante. Le fait de boire régulièrement de l'eau en quantité suffisante pourrait donc réellement aider à la prévention des problèmes de surpoids.

Combien de calories en plus peut-on brûler en buvant de l'eau ?

Il résulte de nos recherches que boire un demi-litre d'eau provoque une consommation supplémentaire de 200 kilojoules soit environ 50 kilocalories, ce qui signifie que boire deux litres d'eau par jour entraîne une consommation de 200 kcal supplémentaires. Rapportée sur une année, cette dépense énergétique correspondrait à l'énergie contenue dans 2,4 kg de tissus adipeux.

Ce principe est-il valable pour d'autres boissons, comme le café ou le thé non sucrés ?

Le café et le thé noir contiennent de la caféine ou de la théine qui sont des excitants puissants et – c'est bien connu – ils stimulent la circulation sanguine et le métabolisme. Ces deux boissons favorisent, en outre, une plus grande excrétion d'eau. Nos divers calculs ne sont donc valables que pour l'eau plate à 22 °C, c'est-à-dire à température ambiante, et non pour les boissons froides ou chaudes. Même l'eau gazeuse donnerait d'autres résultats.

La température de la boisson a donc une importance ?

Oui, car l'eau à température ambiante (22 °C) doit être réchauffée pour atteindre la température du corps (37 °C). Nous avons pu démontrer que le fait de boire de l'eau à température ambiante demande une plus grande quantité d'énergie que de boire de l'eau à la température du corps. La différence correspondait exactement à l'énergie nécessitée par le corps pour réchauffer l'eau.

Que conseillez-vous aux personnes qui souhaitent boire de l'eau dans le cadre d'un régime ou d'un changement d'alimentation ?

Je leur recommanderais de commencer la journée par un verre d'eau ; cela réveille les différentes fonctions corporelles et les stimule après une nuit sans hydratation. Ensuite, le fait de boire de l'eau juste avant le repas est doublement intéressant : d'une part, remplir l'estomac permet de réduire l'appétit, et d'autre part, cela augmente le métabolisme – nous l'avons démontré via nos recherches – ce qui améliore normalement la digestion. Par ailleurs, il vaut mieux boire de l'eau que des boissons sucrées ou de l'alcool qui sont très caloriques. Agrémentée d'un peu de citron, l'eau est sans doute le moyen le plus efficace de se désaltérer, tout en étant un stimulant. Lorsqu'on fait un régime pour perdre du poids ou que l'on jeûne, il est nécessaire de boire en quantité suffisante. Cela peut même favoriser la perte de poids. On veillera évidemment à ne pas boire en excès. Sinon, consommer 1,5 à 2 l d'eau par jour ne peut être qu'un avantage dans la mise en place d'une alimentation équilibrée et saine.

Remise en forme naturelle du corps et de l'esprit

Selon Helmut Heseker, chercheur en nutrition à l'Université de Paderborn en Allemagne, la plupart des individus boivent trop peu. Pourtant, boire plus améliorerait leur santé sous bien des aspects. L'eau est pour lui un aliment vital trop souvent négligé et sous-estimé. Voici ses fonctions les plus importantes dans le corps :

- C'est au moyen de l'eau dégagée par la peau que la température corporelle est régulée et maintenue constante en cas de conditions climatiques extrêmes ou de fièvre, afin d'éviter les dangers qui menacent la santé à partir de 40 °C. Une course d'une heure ferait monter la température corporelle à 50 °C si l'eau ne s'évaporait pas du corps. Pour y remédier, ce sont donc jusqu'à 3 litres d'eau que le corps va excréter sous forme de transpiration, lesquels devront être remplacés.
- Tous les signaux envoyés à l'intérieur du corps résultent de processus biochimiques. En cas de déshydratation, c'est-à-dire de déficit en eau dans l'organisme, ces processus ne peuvent se dérouler correctement. Par ailleurs, des études ont démontré que boire de l'eau améliorait les performances mentales : la mémoire fonctionne mieux lorsqu'on boit régulièrement, ont constaté des chercheurs de l'université d'Erlangen-Nüremberg. En revanche, notre cerveau fonctionne beaucoup moins bien juste après une séance de sauna par exemple.

Courir fait transpirer :
l'effort physique déshydrate le corps !

Via une étude comparative, Peter Rogers, spécialiste en psychologie expérimentale, a pu constater que l'on répondait beaucoup mieux à ses tests de temps de réaction après avoir bu un tiers de litre d'eau. Ce chercheur de l'Université Bristol (Royaume-Uni) affirme avoir obtenu avec l'eau des différences de performances aussi importantes qu'avec le café, et il confirme son effet dopant sur le cerveau.

- Dans le cadre de la prophylaxie et de la thérapie des petits maux de têtes, des symptômes de stress légers et des états de fatigue intense, l'efficacité de l'eau ne fait plus de doute.
- Pour finir, boire suffisamment permet d'avoir une bonne digestion (selles plus molles) et une meilleure détoxication du corps via les reins (urine).

Le succès du régime volumétrique

Ce qui est extraordinaire avec le régime volumétrique et qui différencie cette méthode des régimes ordinaires de type privatif, c'est que vos menus deviennent plus sains de façon automatique, et que cela aide à mincir :

- On peut continuer de manger à satiété : nul besoin de s'affamer.
- Le nombre de calories absorbées reste raisonnable.
- Un peu de créativité et un minimum d'art culinaire suffisent pour une infinie variété de menus.
- Glucides, protéines et lipides sont toujours présents, dans des proportions saines, correspondant à nos coutumes alimentaires.
- Les repas volumétriques sont particulièrement riches en fibres, en vitamines et en minéraux. De cette manière, on est rassasié, tout en restant mince, sans mourir de faim…

Inutile de bouleverser complètement votre façon de manger, ou de commencer à additionner les calories. Si vous souhaitez mincir, il faut juste que vous réduisiez votre consommation de graisses de mauvaise qualité,

INFO

Buvez-vous assez d'eau ?

Il est facile de savoir si l'on a assez bu en observant sa peau ou son urine. L'urine doit toujours être d'une couleur jaune pâle et ne pas être malodorante. Une urine de couleur sombre, à forte odeur ou excrétée en faible quantité est signe de déshydratation. Une peau, des lèvres ou les muqueuses buccales sèches sont aussi les symptômes d'une mauvaise hydratation.

de sucres simples (comme le sucre blanc ou la farine blanche) et d'alcool. Et d'un autre côté, vous devez boire plus d'eau et inclure plus d'aliments riches en eau et en fibres dans vos menus. De cette manière, votre ventre sera toujours bien rempli et vous resterez rassasié plus longtemps.

Quelques règles éprouvées en matière d'alimentation

Vous découvrirez avec étonnement que beaucoup d'habitudes alimentaires obéissant aux principes volumétriques existent depuis des siècles dans de nombreuses cultures. Leur efficacité a d'ailleurs été démontrée par diverses études scientifiques.

- En Inde, le mode d'alimentation ayurvédique recommande de boire un verre d'eau chaude environ une demi-heure avant chaque repas.
- En France, comme dans la plupart des cuisines classiques, il est de coutume de manger soupes ou crudités en entrée, avant le plat principal.
- Dans le régime méditerranéen, recommandé plus haut, la plupart des repas sont très riches en fruits et en légumes.
- Volker Pudel, chercheur en nutrition, a démontré par une expérience que le fait de boire un verre d'eau avant le repas permettait d'absorber 13 % de calories en moins. Et une soupe prise avant le plat principal permet de réduire encore son appétit.

Le principe du régime volumétrique en image : la salade de fruits est, des deux desserts, celui qui rassasie le plus.

C'est prouvé scientifiquement : ça marche !

Barbara Rolls, scientifique américaine et pionnière du régime volumétrique, a pu prouver dans de nombreuses études que les aliments volumineux mais de faible densité énergétique permettaient de faire chuter naturellement la consommation de calories. Chercheuse à l'Université d'État de Pennsylvanie, dans le cadre d'un test, elle a donné à manger à plusieurs personnes du poulet et du riz cuisinés de différentes façons. Cela lui a permis de constater que les personnes qui mangeaient le poulet et le riz sous forme de soupe absorbaient 26 % de calories en moins que ceux qui mangeaient le même poulet et le même riz préparés en poêlée. Sous forme de soupe, ces aliments sont plus volumineux, explique la chercheuse, ce qui fait que le cerveau, comme l'estomac, est plus vite satisfait. La plupart des personnes mangent, selon elle, des quantités déterminées de nourriture dans lesquelles les yeux et l'estomac voient le signal de la satiété. C'est en second lieu seulement que l'organisme se pose la question de savoir si le plat contient beaucoup de calories (charcuterie, fromage) ou peu (courgette, tomate ou chou-fleur). Des essais similaires avec des milk-shakes mousseux ont, ajoute Barbara Rolls, donné les mêmes résultats : c'est le volume qui provoque la satiété plus que la charge calorique. Cela s'expliquerait par le fait que notre corps n'a pas la faculté de calculer combien de calories lui sont nécessaires, ni combien de calories il absorbe, tandis que le volume occupé par la nourriture est perceptible par les yeux et l'estomac. L'alimentation volumétrique pourrait donc véritablement nous faire mincir et il suffirait d'absorber plus d'eau pour retrouver la ligne !

La soupe est par excellence le plat qui rassasie et fait mincir.

Manger à satiété fait plus mincir que mourir de faim

Barbara Rolls a pu prouver l'efficacité du régime volumétrique via d'autres expériences : d'un côté, elle a demandé à un groupe de personnes souffrant de surpoids de suivre les règles d'un régime traditionnel typique (peu de graisses et des portions réduites). Et d'autre part, elle a demandé à un autre groupe de personnes semblables de se nourrir de plats à base de fruits et de légumes jusqu'à satiété. Aucun des groupes n'a fait le compte des calories absorbées ni de la quantité proportionnelle de lipides dans les repas. Résultat : les personnes suivant le régime standard avaient perdu en moyenne 7,5 kg, tandis que celles suivant le régime volumétrique en avaient perdu 10 !

Des grains de raisin secs moelleux et des flocons de céréales : le müesli constitue un repas très nutritif.

La chercheuse américaine conseille donc de manger plus de produits pauvres en calories comme les légumes et les fruits ; cela permet de manger à satiété sans consommer trop de calories. Selon elle, la question de la satiété a trop été négligée jusqu'à présent dans les régimes.

Si l'on prend aussi en compte les récentes découvertes concernant les calories que nous fait perdre la consommation d'eau, on arrive à un mode d'alimentation simple et néanmoins révolutionnaire : des végétaux variés en nombre, beaucoup d'eau, de bons glucides, de bonnes graisses et suffisamment de protéines : voilà le régime volumétrique dans toute sa simplicité !

Le test comparatif du petit-déjeuner : comment être vraiment rassasié ?

Dans le cadre de mon étude sur le régime volumétrique, je me suis soumis moi-même à un test. Je voulais savoir lequel des deux petits-déjeuners rassasiait le mieux : un petit-déjeuner « traditionnel » (café, toast beurré, charcuterie, pain au chocolat) ou un petit-déjeuner volumétrique (thé, salade de fruits, pain complet, fromage frais, œuf). Il s'agissait de vérifier que la théorie se vérifiait dans la réalité.

Je commence ma journée avec un petit-déjeuner traditionnel :

6 h 40 : La machine à café est en route. Le pain au chocolat datant d'hier, je passe d'abord une tranche de pain blanc au grille-pain. Il sent bon, le beurre s'étale facilement dessus en fondant. Je pose quelques tranches de salami dessus avant de l'avaler aussitôt.

6 h 50 : Je fais descendre un deuxième toast au salami avec mon café (au lait et agrémenté de deux morceaux de sucre). Mon sang circule déjà mieux, mon cœur, mon cerveau et mon pancréas tournent à plein régime. Afin de ne pas avoir de coup de barre dans la matinée, je m'offre le pain au chocolat et termine avec une deuxième tasse de café.

9 h 30 : Un arôme de café envahit le bureau : je vais en chercher une tasse. Le dopage est efficace : je suis remonté comme un jouet à ressort. Qui y a-t-il dans la boîte à biscuits du secrétariat ? Non, finalement, je vais résister.

10 h 20 : C'est plus que de la gourmandise : j'écoute avec attention le bruit de mes entrailles : j'ai faim ; il me faut ce biscuit. D'ailleurs, cela tombe bien, car nous allons commencer une réunion : je n'aurais jamais pu tenir une heure et demie sans avoir dévoré ces trois biscuits. J'en prends encore un pour le chemin.

11 h 30 : Plus qu'une demi-heure et la cantine ouvre. La boîte à biscuits est vide ! Mais les chewing-gums ne sont pas si mauvais que ça pour la santé si l'on fait abstraction du sucre...

Manger pour la science : petit-déjeuner volumétrique expérimental

6 h 50 : Il y a des fruits dans mon réfrigérateur : des fraises, des kiwis et un ananas. Je les coupe en petits morceaux pour me composer une véritable bombe à vitamines.

7 h 10 : Infusion de mélisse et deux petits pains aux céréales complètes agrémentés de fromage frais aux herbes. Dès que j'ai fini les petits pains, je m'aperçois que je n'ai presque plus faim. Je lis mon journal en mangeant tranquillement ma salade de fruits. Mais au menu volumétrique, il y a encore une omelette ! Soit, aujourd'hui je ne mange pas pour le plaisir, mais pour la science : je trouverais bien un petit peu de place en plus pour les œufs.

7 h 40 : Je quitte la maison un peu en retard, le petit-déjeuner volumétrique durant entre 30 et 40 minutes : se faire du bien prend du temps !

8 h 00 : En attendant mon bus, j'ai un véritable sentiment de bien-être : je pourrais courir jusqu'à mon bureau, mais qui voudrait s'entretenir avec un collègue dégoulinant de transpiration ?

9 h 40 : La boîte à biscuits de la secrétaire attire ses premiers amateurs : je pense à la quantité de graisse et de sucre contenue dans ces produits. Envie d'en prendre un ? Faim ? Mon estomac est plein, mon cerveau n'a besoin d'aucune aide.

10 h 20 : Sur le chemin de la salle de réunion, je prends une grosse gorgée d'eau à ma bouteille, histoire de donner des ailes à mes pensées.

12 h 01 : Plusieurs collègues attendent à la porte de mon bureau et s'étonnent, étant donné que mon appétit me pousse en général à entrer à midi pile dans la cantine. Aujourd'hui, j'étudie le menu avec plaisir et passe après les autres. Je ne suis pas affamé, grâce au régime volumétrique…

BILAN

- Le premier petit-déjeuner sucré et gras remplit bien l'estomac avec ses 1 000 kcal, mais pas pour longtemps. Je suis soumis malgré moi à une fringale à cause du pic de production d'insuline. Au bout de deux heures, j'ai des envies d'encas salés ou sucrés.
- La situation est tout à fait différente dans le régime volumétrique : les 600 kcal absorbées se composent d'un gros volume de fibres, de glucides de bonne qualité et de protéines. S'ajoutent les liquides bus, ce qui donne un agréable sentiment de satiété ; mais je n'ai aucunement l'impression d'avoir une brique dans l'estomac. Même quatre heures plus tard, je n'ai pas envie de grignoter. Ce petit-déjeuner n'est pas seulement plus pauvre en calories, il rassasie plus longtemps et contient, en outre, nombre de vitamines et minéraux.

Le régime volumétrique

Pour mincir et se sentir bien dans sa peau, il n'est pas nécessaire de s'affamer, mais d'apprendre à se nourrir sainement. L'objectif du régime volumétrique est de parvenir à la satiété en absorbant une quantité mesurée de calories. Des séances de sport visent à augmenter la dépense énergétique, et l'eau joue un rôle déterminant : il suffit de connaître la quantité d'eau contenue dans un aliment pour savoir s'il fait grossir ou permet de rester mince. Mais rien qu'en optant pour des boissons pauvres en calories, vous aurez déjà fait un grand pas en avant.

Atteindre le poids idéal

L'organisme humain a une étonnante capacité d'adaptation : l'homme peut survivre pendant plusieurs semaines sans manger, puis emmagasiner très rapidement de grandes quantités d'énergie sous forme de réserves de graisse.

Quelques chiffres

La diversité des aliments que nous pouvons manger est sidérante : mis à part quelques produits qui nous sont toxiques, viande, poisson, baies, feuilles, champignons, racines… tout nous est permis. Notre estomac et nos intestins se chargent de tirer de cette nourriture les substances vitales nécessaires au fonctionnement de notre organisme, et s'il y a du surplus, ce sont les réserves en énergie et en minéraux qui se remplissent. Pour la plupart d'entre nous, il faut l'avouer, il y a du surplus à chaque repas.

Dépense énergétique de repos (DER)

Les chercheurs en nutrition savent de façon exacte la quantité d'énergie dont nous avons besoin par jour. Pour celà, ils calculent la dépense énergétique journalière (DEJ) qui se divise en deux parties :

- La dépense énergétique de repos (DER) ou métabolisme de base : elle correspond à la quantité d'énergie que le corps au repos consomme par jour pour ses fonctions vitales (respiration, circulation). Son niveau dépend du sexe, de l'âge, du poids et de la taille. Un jeune homme d'1,90 m pesant 90 kg va naturellement avoir besoin de plus d'énergie qu'une petite dame fragile âgée de 70 ans.
- S'y ajoute la dépense énergétique liée à l'activité physique, la digestion, la grossesse, l'allaitement, la maladie, etc. Ces besoins varient entre 350 kcal (pour une femme de 45 kg qui bouge peu) et plus de 2 000 kcal (pour un ouvrier du bâtiment de 100 kg).

Si l'on absorbe chaque jour plus de calories que l'on en dépense, l'énergie non consommée va être stockée par l'organisme sous forme de bourrelets de graisse de plus en plus gros. Pour utiliser une image, c'est comme si l'on achetait toujours trop d'essence pour sa voiture et que l'on était obligé de la stocker dans des jerricans de plus en plus nombreux dans le coffre : en fin de compte, ce serait coûteux et plutôt dangereux.

La dépense énergétique journalière (DEJ)

La dépense énergétique journalière est la somme de la dépense énergétique de repos et de celle liée aux activités du corps. Pour avoir une idée de votre niveau de DEJ, vous pouvez consulter les exemples du tableau page 40.

Si vous souhaitez perdre quelques kilos, il vous faut absorber moins de calories par jour que vous n'en dépensez. Votre corps sera alors obligé de puiser dans ses réserves de graisses. Pour perdre beaucoup de poids,

INFO

Pour augmenter votre dépense énergétique journalière

En fonction de l'intensité de ses mouvements, un individu de taille et de poids moyens brûle une certaine quantité de calories par heure :

Laver sa voiture	100-200 kcal
Faire une promenade	100-200 kcal
Faire le ménage	100-300 kcal
Faire les courses	200-300 kcal
Jouer au golf	200-300 kcal
Danser	200-400 kcal
Faire du vélo (15 km/h)	300-400 kcal
Faire du roller	400-500 kcal
Jouer au football	400-500 kcal
Jardiner	400-500 kcal
Jouer au tennis	400-500 kcal
Faire de la marche sportive	400-500 kcal
Faire du ski alpin	400-800 kcal
Faire du ski de fond	400-1 000 kcal
Faire un jogging (9 km/h)	500-600 kcal
Nager la brasse	500-800 kcal
Faire du vélo (25 km/h)	600-700 kcal
Faire de la marche nordique	600-800 kcal
Faire de l'alpinisme	700-800 kcal

INFO

Ce que notre corps brûle

Tout le monde ne brûle pas les mêmes quantités d'énergie, en fonction de l'âge, du sexe, de la taille, du poids et du niveau d'activité. Si vous brûlez peu d'énergie, vous devez adapter votre alimentation à cette dépense réduite sous peine de grossir. Une activité réduite correspond à un travail de bureau assis par exemple ; une activité moyenne correspond à une activité exigeant des changements de position (assis, debout) et des déplacements (marche).
Voici un exemple que vous retrouverez dans le tableau ci-dessous : une femme de 40 ans pesant 60 kg a un métabolisme de base d'environ 1 430 kcal. Comme c'est une femme sédentaire, peu sportive et qui travaille assise, ses besoins en énergie, dus à l'activité, se montent à environ 420 kcal, ce qui lui donne une dépense énergétique journalière de 1 850 kcal.

	Poids	DER (kcal)	Dépenses supplémentaires (kcal)	DEJ (kcal)
Femmes (25-50 ans)	60 kg	1430	Peu active et qui fait peu de sport : 420	1850
	60 kg	1430	En cas de grossesse, à partir du 4e mois : 680	2110
	60 kg	1430	Moyennement active et qui fait beaucoup de sport : 820	2140
	60 kg	1430	En cas d'allaitement : 1060	2490
	70 kg	1540	Moyennement active et très sportive : 820	2360
Hommes (25-50 ans)	75 kg	1890	Peu actif et peu sportif : 470	2360
	90 kg	2160	Ouvrier du bâtiment ou grand sportif : 1 860	4020

il vous faut aussi augmenter les dépenses énergétiques liées à l'activité physique en bougeant plus et en faisant régulièrement du sport, en plus de réduire légèrement votre consommation de calories. Dans la plupart des cas, il suffit de renoncer à quelques bombes à calories et aux grignotages sucrés. Si vous parvenez à faire les deux à la fois, vous mincirez. Des dizaines d'études l'ont démontré. Cela paraît logique et très simple et doit d'ailleurs le rester ! Manger, boire et cuisiner n'ont en aucun cas à devenir des tâches scientifiques complexes. Au contraire, cela doit devenir une sorte de religion agréable à pratiquer. Bien sûr, les commandements du régime volumétrique, à la différence de ceux d'une religion, reposent sur des connaissances avérées. Vous n'avez donc pas à croire aveuglément dans ses principes.
Inutile donc de s'adonner à des calculs interminables. Les professionnels de la nutrition

affirment qu'une personne de taille et d'activité moyennes, dont la dépense énergétique journalière est d'environ 2 000 kcal, doit se nourrir de 270 g de glucides, de 75 g de protéines et de 65 g de lipides, ce qui équivaut à tirer 50-55 % de ses besoins énergétiques quotidiens des glucides, 15-20 % des protéines et 30 % au maximum des lipides. Si vous n'avez rien d'autre à faire, vous pouvez tout à fait composer vos menus suivant ces indications. Mais à la longue, vous risquez de vous fatiguer d'additionner les grammes et les calories avant de manger ou de cuisiner.

Un régime doit toujours s'accompagner de sport ! Bouger fait fondre les kilos en trop.

Un programme en 5 points pour vous remettre en forme

Il a très souvent été démontré que le sport était la meilleure façon d'accompagner une alimentation saine afin d'atteindre et de maintenir son poids idéal. Voici donc un programme en cinq points pour vous aider à commencer.

1. Choisir le bon sport

Pour augmenter votre dépense énergétique, les sports les plus appropriés sont les sports d'endurance : le jogging, le roller, le vélo, la natation, la marche, la danse, la marche nordique... Pour les personnes qui souffrent d'un surpoids élevé, mieux vaut privilégier les sports qui n'agressent pas les articulations comme la natation, le cyclisme, la marche ou le roller. Au sport d'endurance, il est conseillé d'ajouter de la gymnastique (musculation). Cela permet de renforcer l'appareil locomoteur (muscles, ligaments et articulations), apporte un peu de variété dans le programme de remise en forme et stimule la consommation d'énergie par le corps. En effet, la masse musculaire va brûler des graisses, comme un four : plus on a de muscles et plus on brûle donc de calories.

2. La juste mesure

Pour faire fondre les cellules adipeuses, il est nécessaire de pratiquer son activité sportive pendant au moins 20 minutes. Au-dessous, le corps tire son énergie de ses réserves de sucre. Dans l'idéal, on conseille de faire trois séances de 30 à 40 minutes par semaine afin d'augmenter la dépense de calories par le corps, et de prévenir les maux de notre société moderne que sont le surpoids, les maladies cardiovasculaires ou le diabète.
Toutefois, si vous n'avez pas pratiqué de sport depuis longtemps, il vous faudra préparer vos muscles, vos ligaments, vos articulations et votre système circulatoire tout doucement à l'effort.
Pour celà, il faut commencer par des séances d'entraînement courtes ; c'est la meilleure façon de réussir. Trop nombreux sont les débutants qui échouent face à la surcharge d'effort à fournir, ou suite à des blessures. Mieux vaut de loin débuter avec des séances de 15 à 20 minutes que l'on allonge peu à peu de semaine en semaine.

3. Le pouls idéal pour s'entraîner

Qui veut brûler ses graisses n'a aucun intérêt à pratiquer un sport très intensif : en effet, comme le corps ne s'attaque à ses bourrelets de graisse qu'après 15-20 minutes, il est plutôt recommandé d'opter pour une activité qu'on va pouvoir pratiquer – après la phase d'échauffement – pendant encore une demi-heure, voire plus.
Pour avoir une idée de l'intensité de l'effort fourni par votre système circulatoire, vous pouvez sentir votre pouls. À chaque séance d'entraînement, mesurez votre fréquence cardiaque. Pour les sports d'endurance, on recommande de 130 à 140 pulsations par minute. Il ne faut pas dépasser ce chiffre de beaucoup.
Pour sentir votre pouls, placez les trois doigts centraux d'une main sur le côté de votre larynx et, en vous aidant d'une montre avec trotteuse, comptez le nombre de pulsation que vous sentez pendant 15 secondes exactement, puis multipliez le résultat par 4.
Vous pouvez aussi contrôler votre pouls via un test simple : vérifiez que vous réussissez à parler pendant que vous pratiquez votre sport d'endurance. Si vous avez assez de souffle pour le faire, c'est que tout va bien.
Pour les ambitieux qui tiennent à s'entraîner dans les règles de l'art, il existe des montres pulsomètres qui calculent et contrôlent la fréquence cardiaque avec

INFO

Pour déterminer votre pouls d'entraînement idéal

Il existe une formule très simple :
Pouls d'entraînement
= 180 moins l'âge
Cela signifie que pour une personne de 40 ans, par exemple, le pouls ne doit pas dépasser 140 pulsations par minute lors de la pratique d'un sport d'endurance.

exactitude. Un vendeur spécialisé saura les conseiller en boutique.

4. Prendre un bon départ

Pour ceux qui ne font jamais de sport, la périodisation de l'entraînement a déjà fait ses preuves. Si, par exemple, vous avez prévu de vous mettre au jogging, commencez la première semaine en alternant une minute de jogging léger et une minute de marche pendant 15 ou 20 minutes. Si vous êtes épuisé avant, cessez de courir et finissez la séance en marchant. Puis, les semaines suivantes, augmentez progressivement la durée du jogging par rapport à la marche de même que la durée totale de la séance. Cette méthode d'entraînement par intervalles a permis de faire réaliser des performances étonnantes à nombre de débutants.
Elle peut s'appliquer à tous les types de sports d'endurance et permet à quiconque d'améliorer progressivement ses performances sans être confronté à des difficultés trop importantes et sans avoir à souffrir de frustration.

5. Le programme idéal

Choisissez plusieurs sports différents : allez nager, marcher, danser ou faire du jogging. Cela vous évitera de vous ennuyer et fera travailler l'ensemble des muscles de votre corps sans en surcharger un en particulier. Dans l'idéal, votre programme d'activité physique doit être aussi varié que la cuisine de votre régime volumétrique...
N'oubliez pas la musculation, que ce soit en salle sous la direction d'un professeur spécialisé ou à la maison (voir pp. 44-45). Et quoi qu'il en soit, demandez conseil à votre médecin.

Faites du sport régulièrement pour atteindre et garder le poids idéal.

INFO

Commencer en douceur

Commencez par quelques séries courtes, de 5 à 8 mouvements par exercice, puis augmentez progressivement les difficultés, jour après jour, l'essentiel étant que ni douleurs ni crampes n'apparaissent. Lorsque vous serez un peu plus en forme, vous pourrez faire des séries de 20 mouvements, ou plus si vous le souhaitez, jusqu'à ce que les muscles sollicités deviennent chauds au toucher. Prenez donc l'habitude de faire ces exercices de musculation tous les matins !

1 5 à 20 fois

Programme de musculation à suivre chez soi

Si vous n'êtes pas du genre à vous entraîner en salle, vous préférerez peut-être faire ces quelques exercices simples chez vous : ils sollicitent les groupes de muscles les plus importants et permettent de les renforcer.

Le robot

Renforce les muscles des jambes

- Debout, faites un grand pas en avant, puis pliez les jambes et placez votre buste dans le prolongement de votre jambe arrière. Faites monter et descendre doucement votre corps en alternance. 1
- Retournez ensuite à la position de départ pour reprendre le mouvement en inversant les jambes.

Un classique

Muscle le ventre

- Allongez-vous sur le dos et placez vos mains des deux côtés de votre tête, les pouces tournés vers l'avant. Votre buste doit être droit et vos jambes repliées.
- Levez lentement la tête et les épaules, gardez les muscles abdominaux tendus pendant quelques secondes, puis redescendez votre buste et relâchez-vous. 2

Le parachutiste

Renforcer son dos

- Allongez-vous sur le ventre, les bras formant un angle fermé avec la tête, les jambes tendues, pointes de pieds au sol.
- Tendez vos muscles fessiers et dorsaux, puis levez les bras du sol. 3 Maintenez la tension pendant quelques secondes puis revenez lentement dans la position de départ.

Push-up

Pour les muscles extenseurs des bras et les pectoraux

- Allongez-vous sur le ventre, le corps bien étiré, les paumes de main plaquées au sol au niveau des épaules.
- En sollicitant les muscles de vos bras, de vos jambes, de votre ventre et de vos fesses, essayez de soulever lentement l'ensemble de votre corps tendu en poussant sur les bras.

4 Puis redescendez et relâchez-vous.

Un conseil : pour les débutants, commencez en prenant appui sur le bord de votre baignoire, une marche d'escalier ou une table et entraînez-vous avant de faire vos pompes au sol. La longueur de la série varie en fonction de la puissance musculaire de chacun.

2 5 à 20 fois

3 5 à 20 fois

4 5 à 20 fois

Rester réaliste

L'objectif de la méthode volumétrique est avant tout de vous redonner la capacité de sentir ce que vous avez besoin de manger et en quelles quantités. Vous devez être capable de savoir d'instinct, sans avoir à consulter de tableaux récapitulatifs, quels sont les aliments qui vous conviennent le mieux, car il est tout à fait possible de trouver les 270 g de glucides, les 75 g de protéines et les 65 g de lipides recommandés par les experts (voir pp. 41-42) dans un menu de fast-food et quelques barres chocolatées. Le problème, c'est que ce n'est pas un hamburger qui va vous rassasier pour la journée, au contraire d'un menu volumétrique qui va contenir des glucides de qualité, des protéines et de bonnes graisses. Trois repas volumétriques complets riches en vitamines et en substances nutritives peuvent venir à bout des plus gros appétits.

INFO

Calculer son indice de masse corporelle

L'indice de masse corporelle (IMC) se calcule suivant cette formule :

IMC = poids en kg/(taille en m)^2

Exemple :
Une femme de 66 kg mesurant 1,72 m

66 kg : (1,72 x 1,72) = IMC = 22,3

L'important est de trouver une manière de vous nourrir qui vous permette d'atteindre votre poids idéal et de le garder à long terme. Les changements de régime radicaux ne sont nécessaires qu'en cas de surcharge pondérale dangereuse pour la santé (IMC dépassant 40, voir p. 47), de maladie cardiovasculaire aiguë ou de diabète. Pour les personnes qui ont tout simplement oublié comment bien manger, procéder en douceur est plus indiqué. Il est inutile de s'imposer un calvaire. Le passage à une hygiène de vie différente doit au contraire se faire par étapes progressives en gardant plaisir à manger et en découvrant peu à peu les joies du sport.

Perdre un à deux kilos par mois, c'est suffisant

Votre objectif sera de perdre 500 g par semaine dans le meilleur des cas, soit au maximum deux kilogrammes par mois. Évidemment, le résultat dépend du poids de départ de chacun. Il est beaucoup plus facile pour un homme de 120 kg de perdre 4 kg le premier mois, que pour une femme de 70 kg. En pratique, toutefois, un homme de 120 kg a besoin de 6 à 12 mois avant de se stabiliser à un poids normal d'environ 95 kg, alors qu'une femme de 70 peut se débarrasser en 3 mois de ses éventuels 6 kg en trop.

Poids en kg		1,40		1,50		1,60		1,70		1,80		1,90		2,00		2,10
120	65	60	56	53	49	46	44	41	39	37	35	33	31	30	28	27
-	62	58	54	51	47	44	42	39	37	35	33	32	30	29	27	26
110	60	55	52	48	45	43	40	38	36	34	32	30	29	27	26	25
-	57	53	49	46	43	41	38	36	34	32	31	29	28	26	25	24
100	54	50	47	44	41	39	37	34	33	31	29	28	26	25	24	23
-	52	48	45	42	39	37	35	33	31	29	28	26	25	24	23	22
90	49	46	43	40	37	35	33	31	29	28	26	25	24	23	21	20
-	46	43	40	38	35	33	31	29	28	26	25	24	22	21	20	19
80	44	41	38	35	33	31	29	28	26	25	23	22	21	20	19	18
-	41	38	36	33	31	29	28	26	25	23	22	21	20	18	18	17
70	38	36	33	31	29	27	26	24	23	22	21	20	19	18	17	16
-	36	33	31	29	27	26	24	23	21	20	19	18	17	16	16	15
60	33	31	29	27	25	24	22	21	20	19	18	17	16	15	15	14
-	30	28	26	25	23	22	20	19	18	17	16	16	15	14	13	13
50	28	26	24	23	21	20	19	18	17	16	15	14	13	13	12	12
-	25	23	22	20	19	18	17	16	15	14	14	13	12	12	11	11

Taille en m

Obésité
Surcharge pondérale
Poids normal

L'IMC se calcule d'après la taille et le poids. Vous pouvez vérifier dans le tableau ci-dessus si vous êtes ou non dans la zone verte.

Qu'est-ce que la surcharge pondérale ?

Votre indice de masse corporelle (IMC) vous indique si vous pesez trop ou trop peu ou si vous avez déjà le poids idéal. Pour le calculer, vous pouvez utiliser la formule de l'encadré ci-contre ou consulter le tableau ci-dessus : il vous suffit alors de noter le chiffre situé à l'intersection de votre ligne de poids (horizontale) et de votre ligne de taille (verticale).

- Un IMC inférieur à 18 indique un poids très inférieur à la moyenne.
- Un IMC situé entre 18 et 19 indique un poids légèrement inférieur à la moyenne.
- Un poids normal correspond à un IMC allant de 19 à 25 pour les femmes et de 20 à 24 pour les hommes.
- Un IMC situé entre 25 et 30 chez les femmes et entre 24 et 30 chez les hommes indique un léger surpoids.
- Un IMC supérieur à 30 signale une obésité de degré 1.
- Un IMC supérieur à 35 correspond à une obésité de degré 2.
- Et au-dessus de 40, l'IMC correspond à une obésité de degré 3.

Une fois que vous aurez calculé votre IMC, vous saurez avec exactitude à combien de kilos vous vous trouvez de votre poids idéal, et de combien il vous faudra maigrir le cas échéant.

Les péchés capitaux

Maintenant que vous connaissez votre IMC et que vous savez si vous avez besoin du régime volumétrique pour perdre du poids ou juste pour améliorer votre état de santé général, vous pouvez vous pencher sur le menu. La méthode volumétrique préconisant de bien manger, il faut commencer par mettre au pilori quelques aliments et habitudes qui ne vont pas dans la bonne direction. Comme au quotidien la tentation au supermarché, à la cantine ou au restaurant, semble aussi grande qu'elle l'aurait été jadis au paradis, je m'autorise une métaphore biblique.

Lorsque vous cuisinez, n'utilisez que les bonnes matières grasses !

Méchantes matières grasses

Cela fait longtemps maintenant que nous vivons dans une situation d'abondance, et si l'on étudie nos habitudes de consommation, il apparaît très clairement que nous consommons de trop nombreuses matières grasses. Certes, rien ne sert de diaboliser les graisses. Et bien plus que de surveiller sa ration quotidienne, il faudrait prêter attention à la nature et à la qualité de ces lipides. Se limiter à 50 g de matières grasses par jour pour une femme, et à 70 g pour un homme, comme le recommandent les institutions spécialisées est impossible à mettre en œuvre dans la pratique. Il est bien plus simple de renoncer de façon générale, et autant que possible, aux mauvaises graisses et de leur préférer les bonnes.

Les acides gras saturés

Les mauvaises graisses sont composées d'acides gras saturés. On les trouve surtout dans le beurre, le fromage, la crème fraîche, l'huile de palme, le lard et la charcuterie. Le beurre et la charcuterie sont particulièrement incompatibles avec une alimentation saine. Une portion de 30 g de salami contient 9 g de matières grasses, et une saucisse d'environ 100 g en contient 26 g. Les saucisses sont aussi à mettre à l'index à cause de la grande quantité de mauvaises graisses bon marché qui sont utilisées pour les confectionner.

Si vous retirez le gras croustillant de la viande grillée ou la peau grasse du poulet rôti, c'est déjà un grand pas en avant. On peut encore opter pour le jambon maigre, les filets, les abats ou les escalopes qui sont pauvres en graisses. Les morceaux de muscle sont – en particulier chez les animaux élevés en plein air ou le gibier – moins chargés de mauvaises graisses et plus riches en lipides de qualité.

Il y a aussi des matières grasses cachées dans la plupart des friandises. Il s'agit alors surtout de produits industriels très bon marché comme l'huile de palme ou de coco. Les matières grasses jouent un rôle fondamental dans les produits sucrés. Les professionnels assurent qu'il est parfois impossible de mettre au point des recettes plus légères. Certains ont ainsi renoncé à introduire sur le marché des produits allégés parce que les tests montraient que leurs friandises finissaient par être complètement « infectes ».

Les acides gras trans

Beaucoup de friandises et de produits préparés contiennent, en outre, ce que l'on appelle les acides gras trans : ces acides gras sont particulièrement nocifs pour la santé, et sont de plus en plus montrés du doigt par le corps médical. Ils apparaissent par exemple lors du processus industriel de transformation d'une huile liquide bon marché en graisse solide. Présents dans la margarine, le beurre, les chips, la pâte feuilletée industrielle, le fromage à pâte fondue, les biscuits, les aliments frits… Ils augmentent le cholestérol et sont soupçonnés de provoquer, entre autres causes, des maladies cardiovasculaires. Ils peuvent même gêner le bon développement des nourrissons et des enfants en bas âge. Malheureusement, leur présence est rarement signalée sur les emballages.

Acides gras insaturés

Les bonnes matières grasses sont celles qui sont composées d'acides gras insaturés : on les trouve dans certaines huiles végétales, le poisson, mais aussi dans les morceaux de muscle, les abats. Les acides gras insaturés sont certes riches en calories, mais ils ont un effet positif sur le cholestérol. C'est la raison pour laquelle la cuisine volumétrique favorise le plus souvent possible ce type de graisse plus sain. En particulier, il faut manger autant que possible des célèbres acides gras Oméga 3 que l'on trouve par exemple dans les graines de lin, les noix, le colza, le maquereau ou le thon.

Sucres diaboliques

Le sucre est lui aussi devenu un véritable mal de civilisation. En France, la consommation par habitant est d'environ 35 kg par an, ce qui équivaut à une vingtaine de morceaux de sucre par jour et par personne. Cette consommation surélevée n'est pas seulement mauvaise pour les

Le sucre rend notre vie plus douce, mais en abuser nous fait grossir et nous rend malades.

dents et le pancréas (attention au diabète !), mais elle accentue la dépendance aux matières grasses et fait diminuer l'absorption de nombreuses substances vitales comme la vitamine B, la vitamine C, le calcium et le zinc.

Les spécialistes de la nutrition sont d'avis que le sucre n'a pas sa place au menu, dans la mesure où il y en a assez dans les fruits et légumes pour couvrir nos besoins quotidiens. Mais, en pratique, on peut s'autoriser un peu de sucre pour mettre la dernière touche à sa recette de soupe ou pour que les gâteaux faits maison soient mangeables. En ce qui me concerne, j'en consomme moins d'un kilo par an, et cela comprend le sucre offert aux invités qui ne veulent pas y renoncer dans leur café.

Les bonnes alternatives

Les boissons ne devraient pas être sucrées, car cela fait augmenter leur valeur volumétrique (voir p. 67) et annihile leur pouvoir désaltérant. Par ailleurs, de nombreux produits trop riches en sucre peuvent être facilement remplacés :

- Les pâtes à tartiner aux noix par exemple, que les enfants et les éternels enfants que sont les adultes adorent, sont composées à plus de 50 % de sucre et à 35 % de graisses de basse qualité. Mais il existe une alternative : en un tour de main, vous pouvez composer une crème délicieuse avec des ingrédients sains comme du cacao, de l'huile de colza, des noix râpées et un filet de miel (voir p. 91).
- La plupart des müeslis vendus couramment contiennent aussi trop de sucre. Il suffit de jeter un coup d'œil sur l'emballage : parfois ce sont jusqu'à 15 % de sucre, voire plus, qui sont affichés. Mieux vaut alors composer son propre müesli. Et cela revient moins cher.
- Les desserts lactés vendus au rayon frais sont systématiquement trop riches en sucre. Mais on peut de même se préparer soi-même très facilement un yaourt ou un fromage blanc aux fruits, du riz au lait ou un milk-shake à la banane avec des ingrédients frais et sans ajout de sucre ou bien juste avec un soupçon.
- Le chocolat au lait ne contient pratiquement pas de lait et est surtout composé de sucre et de matières grasses. Les enfants en deviennent dépendants, ce qui garantit aux producteurs de friandises un avenir en or. À ceux qui veulent s'accorder un petit plaisir occasionnel et

mérité – non poussés par la frustration évidemment et à condition d'avoir faim – le régime volumétrique conseille le chocolat noir à haute teneur en cacao. Il en existe à 90 % de cacao, ce qui réduit la part du sucre à moins de 10 %. Le cacao renferme en outre des substances excellentes pour le cœur et la bonne humeur.

Boissons sucrées : le déluge

Ceux qui boivent des colas, et autres boissons gazeuses ou des boissons énergétiques pour se désaltérer, prennent le meilleur chemin pour devenir diabétiques et souffrir de surcharge pondérale. Ces boissons font grossir ! Comme elles contiennent environ 10 % de sucre, chaque fois que l'on en boit un demi-litre, ce sont une quinzaine de morceaux de sucre que l'on avale ! Il faut les mettre à l'index et les supprimer de sa liste de courses.

Alcools infernaux

En France, la consommation d'alcool pur est de 11 litres par personne et par an. Quand le vin, la bière et l'alcool font partie du menu quotidien, la santé ne peut qu'en pâtir. C'est comme faire du saut à l'élastique quand on est fragile du cœur. Une bière ou un petit verre de vin de temps à autre n'a jamais fait de mal à personne, à condition d'avoir atteint son poids idéal et de le maintenir ou de n'avoir jamais eu de problèmes de poids. Si l'on souhaite maigrir, on doit renoncer à l'alcool, dont les calories descendent directement sur les hanches et dont l'ivresse anéantit trop de bonnes résolutions. Pour les candidats à la minceur, l'alcool est un poison.

Les plats préparés : des traîtres

Les plats préparés, l'une des plus belles inventions de l'industrie agroalimentaire... Il n'est pas un mets que l'on ne puisse trouver tout prêt, précuit ou au moins déjà préparé sur les étagères de nos supermarchés : choucroute, lasagnes, riz cantonais... Tous types de créations culinaires nous attendent, congelées, en boîtes ou déshydratées en sachet, pour que nous puissions les préparer en quelques minutes à peine à la maison. On a même inventé la pâte à gâteau en sachet.

Trop gras, trop salés et chargés d'exhausteurs de goût : les plats tout préparés sont à éviter !

Le problème, c'est non seulement que la plupart de ces plats préparés sont fabriqués avec des ingrédients de moindre qualité et qu'ils sont trop gras ou trop sucrés, mais, par-dessus le marché, ils sont souvent trop salés, agrémentés d'exhausteurs de goût (glutamate) et de conservateurs. Pour se nourrir de façon équilibrée, on recommande donc d'éviter ce type de produits et de n'y avoir recours qu'en cas d'urgence.

Attention à ne pas confondre cependant avec les légumes, fruits, poissons ou viandes que l'on a congelés, séchés ou mis en boîte à des fins de conservation. La plupart de ces aliments de base, qui ont l'avantage de se conserver, sont de très bonne qualité et parfaitement à leur place dans le Caddie volumétrique. Le magazine d'information allemand Focus a fait des tests comparatifs qui ont démontré que les tomates en boîte contiennent souvent plus de vitamines que les tomates fraîches. Des résultats semblables sont aussi apparus avec des légumes congelés. La raison en est simple : les produits congelés ou mis en conserves peuvent être traités à maturité, tandis que les produits vendus frais sont souvent récoltés trop tôt et doivent mûrir après, sur les étalages.

Chips et biscuits apéritifs ne doivent plus être à l'ordre du jour.

Séduisantes barres chocolatées

Vous avez faim, la queue à la caisse est interminable et vos enfants pleurnichent à côté de vous : difficile de résister à la barre chocolatée… Il y en a aussi chez vous dans le placard de la cuisine, entre les chips, les crackers, les cacahuètes, les chocolats et les bonbons ? Autant d'aliments complètement superflus qui ne rassasient qu'à court terme mais qui font entrer nombre de calories dans le corps. Grignoter devant la télévision une demi-tablette de chocolat ou des bretzels avec une petite bière apporte souvent plus de calories qu'une bonne assiette de pâtes à la sauce bolognaise ou aux fruits de mer.

Or, il y a moyen de se faire plaisir sans se faire du mal en même temps. Si vous êtes d'humeur sucrée, faites-vous un gâteau maison (voir p. 120) ou essayez de délicieux bâtonnets de légumes (p. 118) !

Évitez le plus possible les barres chocolatées et leurs congénères et n'en mangez que lorsque vous y êtes forcé par une faim impérieuse, pas par simple envie ou pour régler quelque problème caché au fond de vous. Posez-vous aussi la question de savoir ce qui vous pousse au grignotage : est-ce la nervosité, une baisse de moral, la frustration ou l'ennui ? Cherchez-vous à vous récompenser avec du chocolat ? À chaque fois que vous avez ce type de fringale, interrogez-vous sur sa cause, et si cela n'a rien à voir avec la faim, faites-vous du bien autrement, via une alternative qui fait mincir : par exemple une promenade ou un bain chaud qui va stimuler votre métabolisme de base.

Réfléchissez à votre comportement : grignotez-vous parce que vous avez faim ou par frustration ?

Mincir dans sa tête

Une chose est certaine : manger ne sert pas seulement à se rassasier, mais aussi à faire plaisir à ses papilles gustatives. Un régime qui néglige l'un de ces deux aspects de l'alimentation est voué à l'échec. Tous les nutritionnistes sont d'accord sur ce point. Avec la méthode volumétrique, on peut manger beaucoup et bien, et continuer de satisfaire son cerveau autant que son estomac.

Ute Gola, nutritionniste allemande, a constaté que la plupart des personnes qui souhaitent mincir avaient une fausse idée de ce qu'était un régime. Elle met le doigt sur un point essentiel du régime volumétrique lorsqu'elle dit que pour atteindre le poids idéal et le garder, nous ne devons pas apprendre à supporter la faim, mais plutôt à manger sainement.

Nous avons rarement faim

Nous mangeons des chocolats parce que notre amoureux nous a énervés, des biscuits parce que nous nous ennuyons au bureau et une grosse glace parce que nous venons de nettoyer toutes les vitres. Voilà quelques-uns des motifs typiques de notre comportement alimentaire. Tout est dans la tête. Un sondage de l'institut Forsa a révélé récemment que 19 % des individus de poids normal et 35 % de ceux souffrant de surpoids se consolent en mangeant.

Selon Joachim Westenhöfer, professeur de psychologie de l'alimentation à Hambourg, manger avant la Seconde Guerre mondiale était question d'approvisionnement, tandis qu'aujourd'hui c'est une simple décision. Nous ne mangeons pas seulement par faim, mais aussi pour gâter nos papilles gustatives. Et c'est là que les processus psychiques dans toute leur complexité jouent un rôle.

À quoi pense-t-on ?

Après trois, quatre, voire cinq décennies de mauvaises habitudes alimentaires et de souffrances liées aux problèmes de poids qui en découlent, on se doit d'être très prudent dans sa manière de changer les choses. Il serait dangereux d'imposer de but en blanc un nouveau mode alimentaire – même meilleur – à notre corps et notre esprit. Westenhöfer l'affirme : seuls les petits changements pourront être respectés dans le temps.
Il y a quelques années, il a dirigé une étude dans laquelle ont été analysés les habitudes alimentaires et le comportement en cas de régime de 7 000 hommes et femmes. Il en ressort que de nombreuses habitudes alimentaires se traduisent par des processus biochimiques encrés dans la mémoire du corps. De la même manière que les individus dépendants de la nicotine voient leur bonheur dans la cigarette, les personnes souffrant de surpoids lient pensées et sentiments positifs au fait de manger. Cela vient principalement du fait qu'en cas de satiété le cerveau va provoquer l'excrétion d'hormones qui vont donner au mangeur un sentiment de bien-être, le mettre de bonne humeur et le détendre. La faim, la sensation de ne pas avoir le choix des aliments ou le sentiment de ne pas être suffisamment rassasié, vont, au contraire le stresser.

Westenhöfer considère donc que les personnes qui veulent mincir sont le plus souvent victimes des « hormones de leur métabolisme » lesquelles leur mettent des bâtons dans les roues. La dépendance à la nourriture est comparable aux autres dépendances. C'est pourquoi, selon lui, il faut s'aider de véritables stratégies scientifiques. De bonnes résolutions, un réfrigérateur rempli d'aliments allégés, des produits pharmaceutiques amincissants ne suffisent pas. Pour réussir vraiment, la méthode minceur proposée doit aussi traiter les besoins psychologiques des individus.

Bien planifier son régime

Si vous souhaitez commencer un régime volumétrique pour perdre du poids, il vous faut choisir le bon jour pour commencer, un week-end libre ou le premier jour de vos vacances par exemple. Confiez votre projet à votre famille et à vos amis pour qu'ils vous soutiennent et profitent également de votre alimentation améliorée.

Ce qui va vous aider à tenir

Pour commencer votre régime volumétrique, il faut que vous prévoyiez pour les jours et semaines à venir :

- De faire des activités physiques variées en quantité suffisante. Planifiez vos loisirs de sorte à aller au cinéma ou au théâtre et de ne pas seulement vous retrouver devant le poste de télévision.

- Ne cherchez pas à aller trop vite : mieux vaut prévoir de ne perdre que deux kilos le premier mois plutôt que quatre ou cinq.
- Récompensez vos efforts et offrez-vous quelque chose de bien dès que vous aurez perdu le premier kilo, rien de riche en calories évidemment, mais plutôt quelque chose qui va vous motiver : une séance de spa, un beau vélo très rapide ou une nouvelle paire de chaussures de sport.
- Appréhendez vos éventuels échecs de manière positive. Soyez conséquent et réduisez effectivement les quantités de matières grasses, de sucre et d'alcool ; mais ne vous laissez pas démoraliser si vous avez fait un petit écart.

Comme dans n'importe quel projet, lors d'un régime, il faut compter avec quelques petits échecs. Savoir gérer les revers, c'est se mettre en position de gagner. Le mieux, c'est de se fixer des objectifs réalistes et de se laisser une soupape de sécurité pour se réchauffer le cœur de temps en temps. Si vous décidez de ne plus manger de chocolat à partir du lendemain matin, vous avez de très grandes chances de ne tenir que trois jours. Tandis que si vous vous autorisez un ou deux carrés de chocolat par jour, vous avez 70 % de chance de réussir.

Éviter le stress

La gestion du stress dans le cadre d'un régime a une importance fondamentale. De la même manière qu'un fumeur rechutera suite à un épisode de colère ou de frustration, une personne souffrant de surpoids se tournera automatiquement vers des chewing-gums, des gâteaux ou des biscuits apéritifs au fromage dès que le stress s'emparera d'elle. La régulation du stress, pense le professeur Westenhöfer, est une étape déterminante pour réussir à manger de manière raisonnable et réussir dans sa tête à cocher la case minceur. Dans ces moments-là, il conseille de se détendre à l'aide d'un bain moussant, de musique ou d'une promenade et de laisser passer le stress tout simplement.

> Innovez et cherchez d'autres moyens pour réduire votre stress.

Pourquoi est-il si important de boire ?

Comme je l'ai déjà souligné, l'homme peut survivre plusieurs semaines sans manger, mais il ne tient que quelques jours sans boire. Rien que cet exemple permet de mesurer à quel point l'apport de liquide est vital pour l'organisme. Pourtant, dans les régimes traditionnels, le sujet des boissons fait souvent l'objet de peu d'attention. Le conseil commun à tous de boire un à deux litres par jour reste insuffisant.

La méthode volumétrique implique de se poser clairement la question de la qualité et de la quantité des boissons absorbées. L'eau n'étant pas seulement une boisson, mais aussi le composant principal des aliments préconisés par ce régime, elle joue un rôle clé dans la mise en place d'une alimentation saine.

L'eau est plus qu'un moyen de se désaltérer

S'il est vrai que l'être humain est composé d'eau en majeure partie, quelques précisions s'imposent. Une femme de poids normal est constituée de 60 % d'eau, de 18 % de graisse et de 22 % d'éléments solides comme les os. Chez l'homme, ce sont 70 % d'eau et seulement 4 % de graisse. En revanche, chez les femmes souffrant de forte surcharge pondérale, le pourcentage des graisses peut dépasser 40 % et peser plus que l'eau sur la balance.

Cette simple comparaison montre à quel point eau et cellules adipeuses entretiennent une relation étroite à l'intérieur du corps. Il en est de même dans le domaine de l'alimentation.

La plupart des individus mangent trop de matières grasses et ne boivent pas assez. Le professeur Heseker de l'Université de Paderborn en Allemagne estime, par exemple, que ses compatriotes boivent chaque jour en moyenne un demi-litre de moins qu'ils le devraient. Les conséquences de cette négligence sont multiples, allant de la baisse des capacités mentales à une mauvaise digestion et à une faible détoxication, en passant par des maux de tête.

Le Dr Boschmann du centre Franz-Volhard de recherche clinique à Berlin a démontré pour la première fois que l'eau n'étanchait pas seulement la soif et ne donnait pas seulement une sensation de satiété du fait de son volume, mais faisait aussi mincir (voir l'entretien p. 26). L'eau est donc le moyen le plus naturel et le plus efficace dont on pouvait rêver pour mincir, et elle n'a aucun effet secondaire.

Pour profiter pleinement de ce potentiel, nous devons développer des stratégies visant à augmenter la quantité d'eau dans notre alimentation. Il est important d'avoir toujours de l'eau à disposition, quels que soient l'heure et le lieu, de cuisiner le plus possible ses plats avec de l'eau et de préférer les aliments qui contiennent naturellement beaucoup d'eau. Ces mesures constituent la base du régime volumétrique.

INFO

Que se passe-t-il quand on ne boit pas assez ?

- Une déperdition des fluides de 2 % – cela correspond à 1,4 l chez un individu de 70 kg – réduit de manière inéluctable les capacités physiques. La soif est l'expression d'un mauvais équilibre des fluides dans le corps.
- Si ces pertes ne sont pas compensées à temps, le corps tire l'eau dont il a besoin du sang et des tissus. En conséquence, le sang devient plus visqueux et circule plus lentement.
- L'approvisionnement des organes en oxygène et en substances nutritives diminue alors, ce qui peut provoquer des vertiges, des troubles de la circulation, des vomissements et des crampes musculaires. Dans les cabines d'avion, la sécheresse de l'air provoque aussi l'augmentation du risque de thrombose.

Nos besoins quotidiens en eau

Pour une journée normale, un adulte de 70 kg a besoin d'environ 2,5 l d'eau qui vont lui être principalement fournis par les boissons et les aliments contenant de l'eau. L'approvisionnement se fait aussi en partie via les processus d'oxydation de la digestion (voir encadré ci-dessous).

En cas d'activité physique ou de températures chaudes, les besoins en eau peuvent être beaucoup plus élevés. Lors d'une activité sportive d'intensité moyenne, le corps perd un demi-litre à un litre de transpiration par heure, et encore plus lors des grosses chaleurs ou en cas d'activité extrêmement intense.

INFO

L'équilibre des fluides

Quantité minimale d'eau nécessaire à un adulte par jour :

Aliments solides	0,9 l
Boissons	1,3 l
Oxydation	0,3 l

Quantité quotidienne d'eau excrétée par un adulte :

Urine	1,5 l
Selles	0,15 l
Évaporation par la peau	0,375 l
Évaporation *via* les poumons	0,375 l
Transpiration	0,1 l

Besoins supplémentaires des sportifs :

Course de 10 000 m	1,0–1,5 l
Football	0,5–3 l
Étape du Tour de France	plus de 6 l

Les données du tableau ci-dessous sont ainsi des minimales. Les hommes ont besoin de boire environ 1,5 l d'eau par jour en cas d'effort physique peu intense et lorsque la température extérieure est normale, et cela sans compter les autres boissons, telles que thé, jus, boissons alcoolisées, d'ailleurs déconseillées (voir p. 65) et les aliments contenant de l'eau.

Les femmes se contentent de 1,3 à 1,5 l d'eau par jour, mais comme les hommes, elles ont besoin de plus en cas de chaleur ou quand elles font du sport. Les femmes enceintes ou qui allaitent doivent boire autant que si elles pratiquaient un sport modérément, soit respectivement 1,5 et 1,7 l. Les grands sportifs doivent boire encore plus selon l'effort fourni et la température extérieure. D'ailleurs, les coureurs de marathon boivent en été plusieurs litres d'eau en plus afin que l'eau les refroidisse pendant la course en s'évaporant via les pores de leur peau.

Les seules personnes qui doivent réduire leur consommation d'eau sont les patients souffrant d'une insuffisance cardiaque. Les cardiologues leur conseillent de ne pas boire plus de 2 l par jour, car dans cette maladie, l'excédent d'eau va se stocker dans les jambes et les poumons.

De l'eau pour remplacer les analgésiques

Les spécialistes de l'alimentation recommandent 1,5 l d'eau par adulte et par jour.

Boire régulièrement de l'eau est aussi important pour les enfants que pour les adultes.

Mais la question, c'est de savoir comment boire 1,5 l d'eau par jour ?

D'abord, nous devons apprendre à mieux écouter notre corps et à comprendre les signaux qu'il nous envoie. Nombreux sont ceux qui restent assis des heures devant leur écran d'ordinateur, sans jamais s'hydrater, et qui pourtant s'étonnent de manquer de vitalité ou d'avoir mal à la tête. Peu savent qu'il suffit souvent d'un grand verre d'eau pour tout arranger, sans la nécessité de boire une tasse de café ou de prendre un analgésique.

La spécialiste en nutrition Andrea Trappe a observé un phénomène semblable chez les écoliers : « lorsque les enfants sont fatigués et moins attentifs à l'école, dit-elle, la cause peut tout simplement être la déshydratation ». Cela signifie que les adultes ne sont pas les seuls à boire trop peu. La plupart des enfants sont concernés, mais quand ils boivent, ils préfèrent malheureusement des sodas beaucoup trop riches en sucre. Il est donc vital d'apprendre à boire correctement dès le plus jeune âge.

L'eau – la boisson idéale

Vous pouvez acheter pour boire l'une des nombreuses bonnes eaux minérales vendues sur le marché ou tout aussi bien boire l'eau du robinet. Et de temps à autre, vous pouvez aussi opter pour une alternative raisonnable (voir p. 64 et suiv.). Essayez d'abord l'eau du robinet, dans de nombreuses régions, elle a meilleur goût que certaines eaux en bouteille. Et si vous ne l'aimez pas, allez au supermarché : l'offre en eaux minérales et en eaux de source y est inépuisable. Les eaux minérales plates ont l'avantage d'être plus facile à digérer que les gazeuses : si vous suivez la recommandation de boire 1,5 l par jour, l'acide carbonique risque de vous causer quelques troubles digestifs. En général, il est en outre plus difficile de boire de grandes quantités d'eau gazeuse que d'eau plate.

Tout sur l'eau du robinet

Le magazine allemand Hörzu a effectué selon ses dires « la plus grande enquête jamais réalisée sur l'eau en Allemagne » et les résultats qu'il a obtenus en ont surpris plus d'un : cette publication a fait pratiquer des tests dans les 270 villes allemandes de plus de 40 000 habitants ; dans la plupart, la qualité de l'eau a été jugée « très bonne », « bonne » ou « satisfaisante ». Seules trois villes (Bad Kreuznach, Gera et Neuss) ont reçu la note « passable » à cause d'une trop grande dose de nitrates. L'eau du robinet allemande s'en tire donc avec brio. Chacun sait que c'est l'aliment le plus surveillé par les autorités sanitaires. Elle est irréprochable et peut être utilisée pour cuisiner ou comme eau de boisson. L'institut de sondages Emnid a enquêté en 2004 sur le goût de l'eau du robinet en Allemagne. Les résultats sont les suivants : 79 % des personnes interrogées lui trouvaient bon goût, voire très bon goût. Seuls 9 % ont répondu qu'ils ne la trouvaient pas très bonne et 8 % qu'ils ne l'aimaient vraiment pas. Deux tiers des sondés ont affirmé se désaltérer volontiers et à bon marché en ouvrant leur robinet. Mais une personne sur deux a aussi admis qu'elle utilisait l'eau du robinet pour couper un jus ou préparer d'autres boissons froides.

Une restriction s'impose cependant : pour les femmes enceintes, les femmes qui allaitent et les jeunes enfants, la teneur en nitrate doit être la plus réduite possible, soit inférieure à 10 milligrammes par litre. Il leur faut donc éviter l'eau du robinet qui est juste tenue par la loi, en France comme en Allemagne, de ne pas afficher plus de 50 milligrammes par litre. Dans le corps, le nitrate est transformé en nitrite, substance bloquant le transport de l'oxygène, ce qui, par exemple, augmente le risque d'asphyxie chez les bébés.

La présence de plomb ou de cuivre n'est, en revanche, plus une préoccupation, car les canalisations ont presque partout été changées sauf dans quelques rares cas.

L'eau du robinet ne contient par ailleurs que de rares traces de minéraux et ne peut donc être chargée d'apports en magnésium, calcium ou sodium. Les taux variant de région en région, cela peut valoir la peine de contacter son fournisseur en eau. Si vous avez de la chance, vous avez peut-être à la maison une source pauvre en nitrates et riche en calcium.

Tout sur l'eau minérale

Si vous êtes amateur d'eau minérale comme on peut être amateur de vins, un petit tour à Paris au célèbre bar à eau « chez Colette » s'impose : vous pourrez y déguster 80 eaux différentes, de l'eau minérale naturelle allemande Selters au « Cloud Juice » – l'eau de pluie pure du désert de Tasmanie – en passant par de l'eau de source hawaïenne.

De l'eau de source plate ou gazeuse : une question de goût...

Le supermarché le plus proche de chez vous vous offre lui aussi sans aucun doute tout un choix des crus français les plus délicieux. Le marché regroupe des dizaines d'eaux, de source ou minérales, françaises auxquelles s'ajoutent des marques étrangères. Ces eaux se différencient en fonction de leurs qualités :

- **Les eaux thermales** proviennent d'une nappe ou d'un gisement souterrain protégé de la pollution et doivent être obligatoirement embouteillées à la source. Utilisées dans les établissements thermaux, elles ont la propriété de guérir, soulager ou prévenir certains maux du fait de leur composition particulière. C'est la raison pour laquelle elles sont soumises à l'agrément du ministère de la Santé.
- **Les eaux minérales naturelles** proviennent aussi d'une nappe ou d'un gisement souterrain protégé de la pollution et doivent aussi être obligatoirement embouteillées à la source afin de garantir leur pureté originelle. Seuls le fer et le soufre peuvent être filtrés pour des raisons optiques et gustatives. On a aussi le droit de réduire le taux de gaz carbonique ou de l'augmenter. Leur appellation leur est accordée par le ministère de la Santé.
- **Les eaux de source** viennent aussi de sources souterraines et sont aussi mises en bouteilles sur place. Elles n'ont pas à faire la preuve qu'elles gardent leur « pureté originelle » et leur appellation n'est pas contrôlée.
- **Les eaux de table,** pour finir, sont fabriquées de manière industrielle : il s'agit d'eau courante dans laquelle on a ajouté un mélange de minéraux. Elles n'ont pas le droit de prétendre à une origine géographique quelconque.

Lorsque l'eau renferme plus de 500 milligrammes de minéraux différents par litre, elle est capable de répondre à une partie des besoins du corps en sels minéraux, mais cela est surtout intéressant pour les sportifs qui transpirent beaucoup, car on couvre facilement ses besoins en minéraux via une alimentation saine et variée.

La quantité recommandée par jour

Le régime volumétrique recommande tout simplement de boire quotidiennement **1,5 litre d'eau ou plus**.

Cela signifie que vous devez remplir chaque matin une bouteille d'1,5 l d'eau et la garder avec vous toute la journée. Vous commencerez votre journée en buvant un verre d'eau de 33 cl avant le petit-déjeuner. Si vous faites une demi-heure de sport le matin – ce dont on ne peut que vous louer – vous devrez boire au retour de votre jogging (par exemple) un verre d'eau supplémentaire. D'où la recommandation de boire 1,5 l d'eau **ou plus**... Si vous devez marcher pendant une heure, il faudra aussi que vous ajoutiez au moins un demi-litre. Puis avant le déjeuner et le dîner, buvez de nouveau un verre d'eau de 33 cl. Il vous restera un demi-litre dans votre réserve que vous répartirez tout au long de la journée.

Gardez votre bouteille à portée de main dans votre bureau et octroyez-vous à intervalles réguliers une grande gorgée. Essayez de repérer les moments où vous manquez de concentration, où la nervosité vous gagne, voire le mal de tête, et buvez à chaque fois un peu d'eau. Cela vous fera du bien. Des études scientifiques ont montré que le fait de boire de l'eau stimulait les processus de la pensée. Un verre d'eau améliorera les performances de votre mémoire, tandis que la déshydratation entraînerait une dégradation de vos fonctions cérébrales.

Évidemment, ne vous forcez pas jusqu'à vous rendre malade. Un peu de fermeté peut néanmoins être nécessaire au début, car la plupart d'entre nous se sont habitués à boire trop peu ou trop mal. Mais vous ne tarderez pas à apprécier la sensation de bien-être qui vous gagne dès que ce liquide rafraîchissant qu'est l'eau entre dans votre corps.

Avant, pendant, après les repas : répartissez votre ration d'eau sur toute la journée.

Les meilleures boissons

Eau plate minérale ou du robinet

Dans la méthode volumétrique, c'est LA boisson idéale par excellence.
Avantage : elle fait perdre des calories ! Chaque fois que vous buvez 20 cl (= un verre d'eau), ce sont 20 kcal que vous brûlez, tout simplement !

Eau gazeuse

Beaucoup d'entre nous aiment les eaux minérales gazeuses.
Avantage : 0 calorie, rafraîchissante.
Inconvénient : tout le monde ne supporte pas d'en boire beaucoup. Les bulles de gaz carbonique envahissent le tube digestif et troublent l'équilibre acido-basique.

Eau citronnée

Un citron pressé dans un litre d'eau froide constitue une alternative de choix. L'eau citronnée chaude réchauffe et rafraîchit à la fois.
Avantage : 0 calorie, de la vitamine C, goût frais.

Décoction au gingembre

Les spécialistes de l'ayurveda ne jurent que par les pouvoirs curatifs de cette boisson. Pour la préparer, coupez un morceau d'un à deux centimètres de racine de gingembre en petites tranches que vous ferez bouillir pendant 10 minutes dans un litre d'eau.
Avantage : 0 calorie, stimule le métabolisme et la digestion.

Infusion aux plantes

Le choix est infini. Chacun devrait pouvoir en trouver une à son goût. La plupart du temps, les plantes ont en outre des vertus curatives. Nombreuses sont celles que l'on peut planter chez soi, comme la sauge ou la mélisse.
Avantage : 0 calorie, pouvoirs curatifs, grande variété de goûts.

Jus coupé d'eau

Les jus de fruits sont très bons dilués, opération nécessaire au regard des grandes quantités de sucre qu'ils contiennent. Il est donc recommandé d'y ajouter entre 50 et 70 % d'eau.
Avantage : grande variété de goûts ; permet de remplir ses réserves de glucides après le sport.
Inconvénient : jusqu'à 200 kcal par litre quand il est coupé à 50 %.

Le thé vert est aussi stimulant et plus digeste que le thé noir.

Les alternatives à l'eau

Si vous ne cherchez pas seulement à étancher votre soif, il existe de nombreuses autres boissons que vous pouvez boire, à condition si vous souhaitez mincir, de les consommer en petites quantités ou de manière occasionnelle.

Les jus de fruits

La plupart des jus de fruits 100 % pur jus contiennent entre 9 et 15 % de sucre. Si vous buviez chaque jour votre 1,5 litre de liquide sous forme de jus, ce serait donc 135 à 225 g de sucre que vous consommeriez quotidiennement. Les jus de fruits ne sont, en conséquence, acceptables que s'ils sont largement dilués ou bus occasionnellement pour s'offrir une petite douceur en même temps que des vitamines. Avant tout, vous devez prêter attention à leur qualité : s'agit-il de jus « 100 % pur jus », de jus « 100 % fruits » à base de concentrés, de nectar contenant entre 25 et 50 % de fruits ou d'une boisson aux fruits ne contenant que 10 à 30 % de fruits. Il va sans dire qu'il faut que vous privilégiiez le jus fraîchement pressé du rayon frais ou le jus 100 % pur jus.

Le café

La caféine est une drogue qui, comme la nicotine, provoque une dépendance. Face à son effet stimulant indéniable, les risques sont divers : une grande consommation de café peut selon les médecins favoriser des rhumatismes articulaires, le cancer des voies urinaires, des maladies cardiovasculaires, et augmenter les risques encourus par les embryons lors des grossesses. Conclusion : n'en buvez pas plus de deux à trois tasses par jour et instaurez occasionnellement des journées sans café.

Le thé noir et vert

Les feuilles fermentées du thé noir contiennent en réalité les mêmes substances que le café : la théine et la caféine sont, d'un point de vue chimique, équivalentes et ont les mêmes effets physiologiques. Le thé noir est aussi diurétique que le café, mais selon les experts, le corps compense seul lorsque le déséquilibre des fluides est de courte durée.

Les feuilles du thé vert en revanche n'ont pas fermenté, ce qui ne les empêche pas d'avoir un effet tout aussi stimulant. En outre, des études montrent que ce thé agit de manière préventive contre les maladies cardiaques et même contre le cancer.

Les boissons gazeuses

Dans un litre de boisson gazeuse de type limonade ou cola, il y a une vingtaine de morceaux de sucre, ce qui équivaut à 100 g de sucre, soit 400 kcal. Les chercheurs américains considèrent d'ailleurs que ces boissons sont responsables de « l'épidémie » d'obésité qui sévit aux États-Unis. Elles rendent les enfants dépendants au sucre. Si vous n'étanchez votre soif qu'avec des sodas, c'est le surpoids et le diabète avec les problèmes qui s'ensuivent qui vous attendent. Alors n'y touchez pas !

Le lait

Le lait est une très bonne source de protéines et de calcium (bon pour les os et les dents). Il est donc important de consommer chaque jour une certaine quantité de lait et de produits laitiers. Toutefois, le lait n'est pas la boisson idéale : il contient trop de matières grasses (35 g par litre) et de glucides (48 g par litre) et renferme donc beaucoup de calories (643 kcal par litre). Même le lait écrémé contient encore 480 kcal par litre. Il est donc déconseillé d'y avoir recours pour étancher sa soif au quotidien.

Les boissons énergétiques

Je me suis intéressé à l'une des boissons énergétiques les plus connues sur le marché. Résultat : 0,32 g de caféine et 113 g de glucide par litre. Cela correspond à 8 tasses de café avec une trentaine de morceaux de sucre. Il est clair que ce type de boisson ne convient pas pour se désaltérer. La plupart des boissons isotoniques pour sportifs sont également peu adaptées, dans la mesure où elles contiennent plus de 10 % de glucides et sont donc tout simplement trop sucrées.

Les boissons alcoolisées

La bière contient 2 à 5 % d'alcool. Un litre de bière apporte donc environ 400 kcal. Seule la bière sans alcool renferme moins de calories, environ 250 kcal par litre. Pour beaucoup, il n'y a pas de bon repas possible sans vin blanc ou rouge. Toutefois, et même s'il y a de plus en plus d'études prouvant que le vin rouge en particulier protège les vaisseaux sanguins, il n'est pas recommandé de boire du vin pendant la phase d'amincissement. Même dilué, il vaut mieux l'éviter. Le fait que le vin soit dilué amène souvent à boire en plus grande quantité et à se leurrer soi-même.

En outre, l'alcool comme le sucre ralentissent les dépenses de calories au cours de la nuit. Ce sont donc de véritables bombes à calories qui font grossir à 100 %. Si vous souhaitez mincir, l'alcool vous est donc interdit, sous toutes ses formes...

Sentir ce qui est bon pour so

L'agréable sentiment de satiété apparaît lorsque l'estomac et les réserves d'énergie du corps sont remplis : via l'hormone insuline et la leptine, le cerveau est informé du fait que les réservoirs sont pleins, que les machines fonctionnent au régime idéal et qu'aucun problème d'approvisionnement n'a été signalé. Mettre des tranches de pain de mie dans son ventre, c'est comme essayer de chauffer son appartement avec de la paille. En très peu de temps, les glucides du pain blanc sont consommés, et c'est la fringale assurée. En revanche, si vous fournissez à votre poêle un carburant durable, il chauffera la maison pendant des heures. Il en est de même si l'on fournit à son organisme un petit-déjeuner riche en bons glucides (pain complet ou müesli), en fibres (fruits, légumes et céréales), en protéines et agrémenté d'un peu de matières grasses (avec par exemple du fromage en faisselle). Si l'on ajoute une boisson, il y a de quoi occuper son estomac pendant des heures. Et les apports en énergie et en substances nutritives sont garantis. Le test personnel que j'ai effectué (voir p. 34) le prouve comme de nombreuses études physiologiques.

Il serait d'ailleurs très intéressant que vous réalisiez vous-même un test de ce type un jour au petit-déjeuner : cela vous permettrait de comprendre au plus profond de votre corps l'avantage de l'alimentation volumétrique.

Tant de calories dans si peu de nourriture !

La densité énergétique d'un menu de fast-food composé d'un hamburger, de frites, d'un gâteau aux pommes et d'un milk-shake approche les 2,37 kcal par gramme, alors qu'un menu volumétrique dépasse rarement 1,25 kcal par gramme, chiffre conseillé par les nutritionnistes à ceux qui veulent garder le poids idéal. Des études ont conclu que les Anglais mangeaient, en moyenne, 1,6 kcal par gramme, et les Américains 1,8, comme les Allemands qui aiment apparemment trop les saucisses. Cela signifie que les hommes fournissent en général à leurs corps les quantités de calories nécessaires à un grand sportif, alors même qu'ils sont trop sédentaires. Il est triste de constater que plus on vit modestement, plus on est amené à consommer des aliments à forte densité énergétique. La raison en est simple : les fruits, la salade, les légumes, les morceaux de viande maigres et le poisson sont comparativement plus chers que les autres aliments. Il est possible d'acheter une barre chocolatée de 300 kcal pour moins de 50 cents. Une pomme plus une banane – qui constitueraient un goûter plus sain – apportent aussi 300 kcal à l'estomac, mais elles coûtent au moins le double.

Comparez les compositions

Vous reconnaîtrez facilement les aliments sains : ce sont les plus naturels. Par exemple, une pomme de terre, une cerise ou un steak n'ont rien à voir avec des produits transformés de façon industrielle comme des pommes de terre chips, les morceaux de fruits ajoutés dans les yaourts ou des petites saucisses en boîte. Pour savoir ce que renferment ces produits de l'industrie agroalimentaire, il suffit d'interroger leur emballage.

- Cent grammes de chocolat au lait contiennent environ 560 kcal, ce qui confère à cet aliment une très mauvaise valeur volumétrique de 5,6 kcal par gramme. En outre, on y trouve 53 grammes de glucides, ce qui signifie que ce produit est composé à plus de 50 % de sucre (environ 17 morceaux !). Une tablette de chocolat au lait renferme aussi 34 grammes de lipides et 10 grammes de protéines. Ce doit être le lait ? ! Lorsque vous grignotez une tablette de chocolat, vous absorbez la moitié exactement de la quantité maximale de lipides recommandée par jour pour les hommes (voir p. 48).
- Cent grammes de poêlée de légumes congelés vous auraient, eux, apporté 101 kcal, ce qui équivaut à une valeur volumétrique de 1,01. Pour atteindre le même nombre de calories qu'avec le

soi-disant chocolat au lait, vous auriez pu en manger 5,5 fois plus. Et ce n'est pas tout, dans 100 grammes de poêlée de légumes, on trouve 7,2 g de glucides, 7 g de matières grasses et 2,4 g de protéines : le reste n'est que fibres, vitamines et minéraux.

Petit guide des achats

Préparer un repas bon et sain, ça ne commence pas dans la cuisine, mais au supermarché, et au rayon des fruits et légumes, il est impossible de faire fausse route, tandis que pour ce qui est des produits finis, c'est plus compliqué.
Tout d'abord, il faut toujours prendre le temps de jeter un coup d'œil à ce qui est écrit en tout petit sur l'emballage. Quelle est la composition d'une confiture, d'un pain aux céréales, d'une soupe toute prête, d'une pizza ou d'un müesli aux fruits ? Et que peut-on en conclure concernant la valeur nutritive du produit ?
Si vous vous intéressez un tant soit peu aux ingrédients alimentaires, la visite au supermarché peut devenir une véritable aventure. Comme les hommes préhistoriques qui ne réussissaient à traverser l'hiver qu'avec patience et savoir-faire (cf. p. 10), vous devrez faire vos preuves face à la nature cachée de notre nourriture. Ce sera peut-être un peu complexe, mais voici déjà, pour vous aider, l'analyse de quatre exemples typiques d'étiquettes d'aliments courants.

L'assiette de légumes contient moins d'un cinquième du nombre de calories de la tablette de chocolat : elle possède donc une faible densité énergétique.

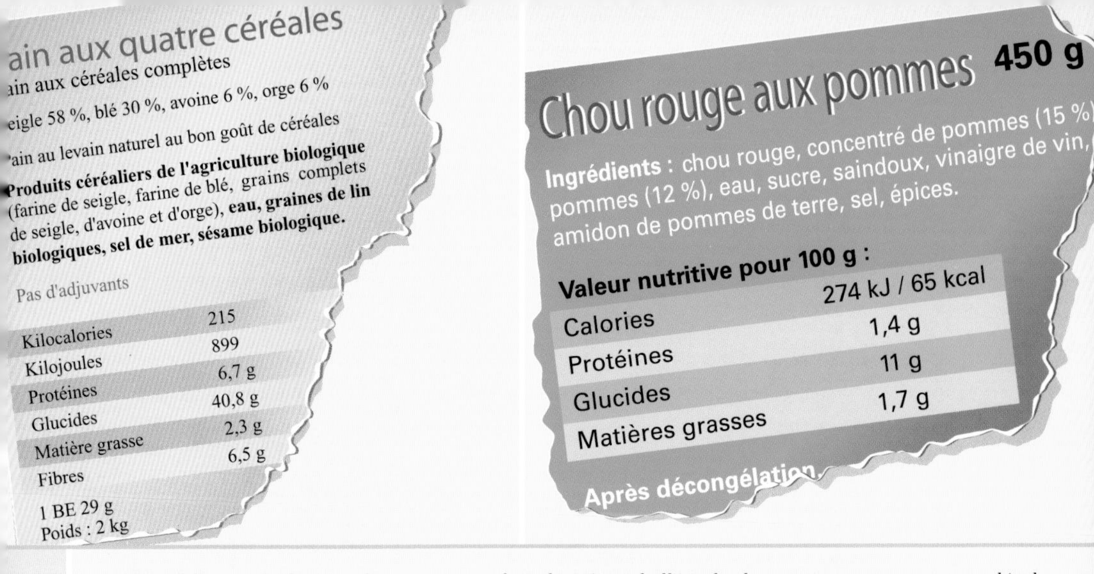

Noir sur blanc : voici les ingrédients contenus dans du pain emballé et du chou rouge aux pommes congelé tels qu'ils sont détaillés sur l'emballage. Il ne vous reste qu'à apprendre à déchiffrer ces informations.

Pain bio : la carte de la transparence

Certaines entreprises mettent un point d'honneur à avoir recours à des ingrédients à l'état naturel et à les travailler suivant des processus qui leur permettent de conserver leur richesse. Elles font, pour chaque produit, le détail des ingrédients présents, comme dans l'exemple ci-dessus du pain aux quatre céréales. On y apprend que le seigle, l'avoine et l'orge y ont ainsi été utilisés sous forme de céréales complètes, ce qui garantit la présence de toutes leurs substances nutritives et une haute teneur en fibres, à savoir 6,5 g pour 100 g de pain. Avec ses 215 kcal pour 100 g, ce pain possède une valeur volumétrique de 2,15, ce qui est assez élevé, mais pas grave grâce aux nombreuses fibres présentes. Un verre d'eau ou un thé fera gonfler ces dernières ce qui provoquera une sensation durable de satiété.

Chou rouge congelé : trop sucré

L'étiquette du chou rouge aux pommes ci-dessus, produit fabriqué par un gros producteur de produits congelés, indique qu'il s'agit d'un plat préparé et épicé. La liste des ingrédients le confirme : à côté du chou rouge, des pommes et de l'eau, on voit apparaître les condiments. Les ingrédients devant être classés du plus utilisé au moins utilisé, on s'aperçoit que la recette contient une bonne dose de sucre. L'analyse de la valeur nutritive le confirme : 11 g de glucides, ce qui équivaut à beaucoup de cuillères à soupe de sucre. Il aurait été préférable qu'on laisse à chacun la possibilité de sucrer comme il le souhaite (moins !). Quoi qu'il en soit, ce plat avec 65 kcal pour 100 grammes, et donc une valeur volumétrique de 0,65, reste un bon choix.

Pommes de terre chips : rien que du gras

Si vous cherchez des aliments qui font grossir, il n'y a rien de tel que le rayon des biscuits apéritifs. On regrettera que de nombreux produits n'affichent que des listes d'ingrédients et des analyses incomplètes. Voici toutefois, dans l'exemple ci-dessous, ce que contient un sachet ordinaire de pommes de terre chips : 526 kcal pour 100 grammes, soit une valeur volumétrique de 5,26 ! Ce n'est pas étonnant si l'on pense au traitement subi par des pommes de terre, à l'origine très saines. Elles se sont transformées en éponges pleines de glucides et de graisse : 33,3 grammes de matières grasses pour 100 g de chips. Si vous avez grignoté un sachet de 200 g de chips devant la télévision, vous avez aussi ingurgité la quantité quotidienne de lipides recommandée de 60-70 grammes (cf. p. 48), et de surcroît des lipides qui viennent d'huiles chargées d'acides gras trans mauvais pour la santé.

Pizza : c'est déjà mieux

Pour les pizzas, il y a autant d'ingrédients et de valeurs nutritives possibles qu'il y a de recettes : c'est-à-dire un nombre infini. La pâte de la pizza aux crevettes de l'exemple ci-dessous a été préparée avec de la farine de blé ; c'est la raison pour laquelle, la farine est le premier ingrédient mentionné, c'est-à-dire l'ingrédient principal. On regrettera qu'en plus de l'huile d'olive, le fabricant ait eu recours à de la margarine – moins chère – et à des « huiles végétales » non définies. Il est clair qu'il a un peu rogné ici sur la qualité. Avec 207 kcal pour 100 grammes, cette pizza a une valeur volumétrique de 2,07. Si l'on mange les 410 g de la pizza, ce sont 37 grammes de matières grasses que l'on absorbe, soit beaucoup trop. Il serait préférable que la pizza

> Les pommes de terre chips sont remplies de graisse ! Pour les pizzas, prêtez surtout attention à la qualité des huiles et graisses diverses employées pour les fabriquer.

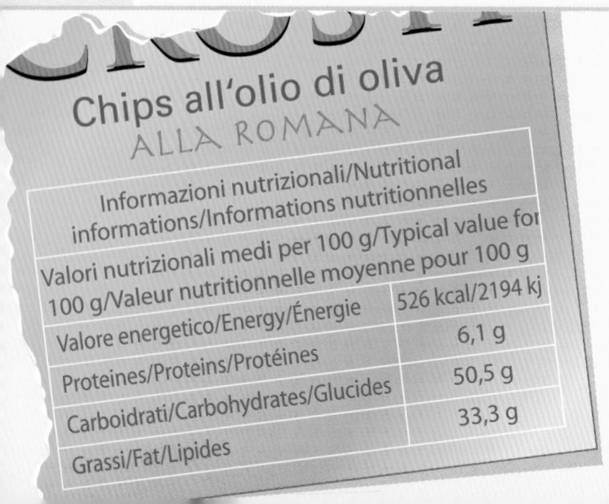

Chips all'olio di oliva
ALLA ROMANA

Informazioni nutrizionali/Nutritional informations/Informations nutritionnelles	
Valori nutrizionali medi per 100 g/Typical value for 100 g/Valeur nutritionnelle moyenne pour 100 g	
Valore energetico/Energy/Énergie	526 kcal/2194 kj
Proteines/Proteins/Protéines	6,1 g
Carboidrati/Carbohydrates/Glucides	50,5 g
Grassi/Fat/Lipides	33,3 g

Ingrédients

Farine de blé, tomates, crevette (15 %), édam (14 %), eau, oignon, margarine, poivrons, sel iodé, huile végétale, levure, farine de seigle, amidon modifié, huile d'olive extra vierge, levain, levure chimique, épices, sucre, ail, colorant (extrait de paprika), épinard, persil, chair de crevette séchée, jus de citron, poivre, arôme naturel

Valeur nutritive moyenne pour 100 g			
kcal	207	Protéines	10,2 g
kJ	868	Glucides	21,1 g
Matières grasses	9,0 g		

1. **Aliments de faible valeur volumétrique :** eau, thé, fruits et légumes à forte teneur en eau (tels que concombre, salade, poivron, fraises, melon, tomates, chou, épinards, asperges).

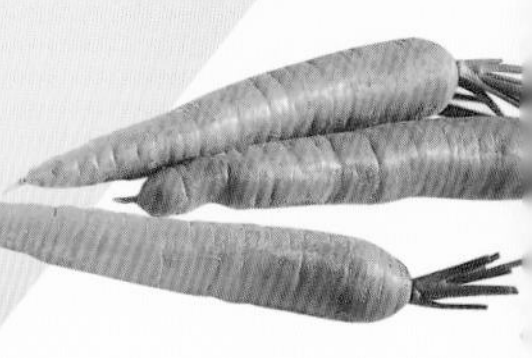

2. **Aliments de valeur volumétrique moyenne :** fruits et légumes à plus faible teneur en eau (carottes, pommes de terre, pommes, bananes, oranges, raisin), produits à base de céréales complètes (pain, müesli, pâtes, riz), légumes secs, produits laitiers pauvres en matières grasses (fromage frais, lait, yaourt).

Aliments riches en protéines : viande de bonne qualité (jambon, filet de bœuf), volaille, poisson, œufs.

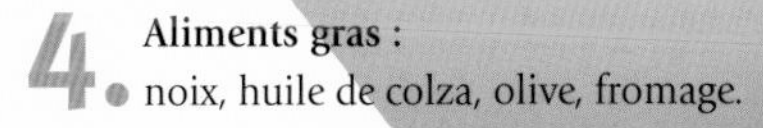

4. **Aliments gras :** noix, huile de colza, olive, fromage.

5. **Aliments sucrés :** jus de fruits, chocolat noir, sorbets aux fruits

Dans la pyramide volumétrique, vous ne trouverez que les aliments ecommandés. Tous ceux qui ne sont pas sains et sont mauvais pour la ligne ont été mis à l'index.

contienne plus de légumes. Vous pouvez en améliorer la garniture en y ajoutant quelques tomates cerises coupées en quartiers, des rondelles d'oignon et des morceaux de poivrons.

La pyramide volumétrique

La pyramide volumétrique ne ressemble pas aux pyramides d'aliments courantes : elle a la tête en bas et dessine un « V », ce qui tombe plutôt bien… Mais là où elle se différencie surtout, c'est que les aliments les plus importants – les boissons sans calorie comme l'eau et les infusions de plantes, les fruits et les légumes à haute teneur en eau et à faible valeur volumétrique – sont placés au-dessus.
À l'étage au-dessous, on trouve les fruits et légumes de valeur volumétrique un peu plus élevée. Ensuite arrivent les produits laitiers écrémés, les légumes secs et les produits à base de céréales complètes. Ces aliments de base riches en vitamines et en substances nutritives permettent de manger à satiété sans aucun complexe. À mi-hauteur de la pyramide, on a classé les aliments qui apportent les indispensables protéines : viande maigre, poisson et œufs. En manger une fois par jour suffit.
Plus bas encore, vous découvrez les aliments riches en calories et à forte valeur volumétrique, lesquels ne doivent être consommés qu'en très petites quantités : huiles végétales, fromages et charcuterie les moins gras, chocolat noir, sorbets aux fruits et jus de fruits, que l'on peut s'accorder occasionnellement.

Liste des aliments volumétriques

La valeur volumétrique est mesurée en kilocalories par gramme (kcal/g) ; quand elle est basse, ce qui est fréquent, cela signifie que l'aliment renferme peu de calories : un concombre est ainsi avec ses 0,1 kcal/g et les 96 % d'eau qu'il renferme un véritable **amincissant naturel**. Valeur volumétrique basse et haute teneur en eau sont presque toujours associées comme le montre la liste ci-dessous.
L'inverse est aussi valable, à savoir que les **aliments qui font grossir** ont toujours une valeur volumétrique élevée et contiennent pour la plupart peu d'eau. Le saindoux, par exemple, a une valeur volumétrique de 8,8 kcal/g et ne contient qu'1 % d'eau.

	Aliment	**Valeur volumétrique** (kcal/g)	**Teneur en eau** (pas d'ind. = pas d'indication)
Fruits et légumes	Salade verte	0,1	96 %
	Concombre	0,1	96 %
	Tomates	0,2	94 %
	Champignons de Paris	0,2	93 %
	Poivrons	0,3	91 %
	Fraises	0,3	90 %
	Choucroute	0,2	90 %
	Carottes	0,4	89 %
	Pêches	0,3	87 %
	Oranges	0,5	86 %
	Raisin	0,7	81 %
	Pommes de terre cuites à l'eau	0,9	80 %
	Maïs en boîte	0,8	78 %
	Olives	1,7	71 %
	Raisins secs	3,0	20 %
	Purée de pommes de terre	1,1	pas d'ind.
	Frites	3,2	pas d'ind.
Produits à base de céréales	Pâtes cuites	1,4	65 %
	Pain complet	1,9	44 %
	Pain froment et seigle	2,2	40 %
	Pain de mie	2,5	37 %
	Müesli	3,5	11 %
	Croissant	5,0	10 %
	Flocons d'avoine	3,7	10 %
	Pâtes crues	3,5	10 %

	Aliment	Valeur volumétrique (kcal/g)	Teneur en eau (pas d'ind. = pas d'indication)
Gâteaux	Tarte aux fruits	1,6	60 %
	Gâteaux aux fruits	2,1	56 %
	Pâte préparée avec de la levure de boulanger	3,0	35 %
	Pâte sablée	2,7	34 %
	Pâte feuilletée	4,2	32 %
	Pâte liquide à gâteau	3,6	26 %
	Pâte brisée	4,8	12 %
Produits laitiers	Kefir	0,5	89 %
	Lait écrémé	0,5	89 %
	Yaourt	0,4	89 %
	Yaourt entier	0,7	88 %
	Lait entier	0,7	87 %
	Fromage blanc à 0 % de MG	0,8	80 %
	Fromage blanc à 20 % de MG	1,0	79 %
	Yaourt entier aux fruits	1,0	77 %
	Fromage blanc à 40 % de MG	1,4	76 %
	Yaourt entier au müesli	1,2	71 %
	Crème fleurette	2,9	64 %
	Mozzarella	2,5	58 %
	Fromage frais	3,3	53 %
	Camembert	2,9	52 %
	Emmenthal	3,8	37 %
	Parmesan	4,4	27 %
Matières grasses	Beurre	7,4	15 %
	Graisse de coco	8,7	1 %
	Saindoux	8,8	1 %
	Huile végétale	8,8	pas d'ind.
Pâe à tartiner	Confiture, très sucrée	2,5	30 %
	Miel	2,9	2,5 %
	Beurre de cacahuète	5,9	0,7 %
	Pâte à tartiner aux fruits, peu sucrée	2,0	pas d'ind.
	Pâte à tartiner aux noisettes	5,1	pas d'ind.

INFO

	Aliment	Valeur volumétrique (kcal/g)	Teneur en eau (pas d'ind. = pas d'indication)
Œufs	Œuf dur	1,6	8 %
	Œuf frit	2,0	pas d'ind.
Viande et charcuterie	Gelée	1,1	75 %
	Blanc de poulet	1,0	74 %
	Veau, morceau maigre	1,4	68 %
	Bœuf, morcea maigre	1,5	66 %
	Foie de bœuf	1,5	66 %
	Kasseler	1,7	64 %
	Porc	2,0	60 %
	Boudin blanc	2,7	59 %
	Saucisse de Francfort	3,0	55 %
	Pâté de foie	3,3	53 %
	Salami	3,6	43 %
Poisson	Seiche, court-bouillon	1,0	76 %
	Sole, court bouillon	1,1	75 %
	Saumon fais	1,3	74 %
	Sébaste	1,3	73 %
	Saumon fumé	1,4	73 %
	Truite	1,2	72 %
	Poisson pané	1,2	70 %
	Anguille fumée	2,9	57 %
	Hareng	2,8	50 %
	Thon à l'huile en boîte	3,4	48 %
Graines, biscuits apéritifs, friandises	Sorbet aux fruits	1,3	68 %
	Glace à la crème	2,5	63 %
	Pommes de terre chips	5,4	8 %
	Bretzels salés	3,4	0,9 %
	Noix de cajou	5,7	0,4 %
	Chocolat au lait et aux noisettes	5,2	0,2 %
	Pop-corn nature	3,8	pas d'ind.
	Chocolats fourrés	5,6	pas d'ind.

Source : Deutsche Gesellschaft für Ernährung (Association allemande pour la nutrition)

Plat	Valeur nutritive (kcal/g)	Valeur volumétrique (kcal/g)
Plats de basse valeur volumétrique (0,1 à 1)		
Bouillon (1 bol)	30 kcal	0,1
Salade mixte (1 assiette)	50 kcal	0,6
Salade de fruit (1 coupe)	60 kcal	0,3
Minestrone (1 assiette)	82 kcal	0,3
Soupe de tomates (1 assiette)	85 kcal	0,4
Salade avec des bâtonnets de filet de veau (1 assiette)	120 kcal	0,7
Crème de légume (1 assiette)	200 kcal	0,8
Filets de valeur volumétrique moyenne à haute (1 à 3)		
Salade de pomme de terre (1 bol)	150 kcal	1,1
Müesli avec lait écrémé (1 bol)	165 kcal	1,1
Chop Suey (1 bol)	300 kcal	1,2
Chili con carne (1 assiette)	330 kcal	1,3
Lasagnes à la viande (1 part)	370 kcal	1,6
Steak à la sauce au poivre (250 g)	390 kcal	1,6
Poêlée de saumon aux courgettes	400 kcal	1,3
Sandwich saucisse ketchup	414 kcal	2,6
Escalope viennoise (220 g)	430 kcal	2,0
Pizza au jambon (200 g)	450 kcal	2,3
Spaghetti carbonara (1 assiette)	500 kcal	2,0
Hamburger « Big Mac »	503 kcal	2,4
1/2 poulet rôti avec du pain	580 kcal	2,0
Kebab (1 portion)	660 kcal	1,9
Bombes à calories de très haute valeur volumétrique (plus de 3)		
Barre chocolatée (aux noix et au caramel) (55 g)	275 kcal	5,0
Sandwich pain de mie, beurre et salami (63 g)	277 kcal	4,4
Gâteau au chocolat et à la crème (120 g)	470 kcal	3,9

INFO

Les recettes qui font mincir !

Cuisiner sainement n'est pas sorcier : un peu de savoir-faire et d'organisation, et c'est réglé. Vous réussirez sans peine à mettre au point des menus volumétriques légers, riches en vitamines et rassasiants à la fois. Du petit-déjeuner au dîner, vous préparerez des mets délicieux, beaucoup de salades fraîches et de soupes raffinées, mais aussi de fins entremets pour vous faire encore plus plaisir, quand l'envie vous en prend.

Appliquer la méthode volumétrique

Comme nous venons de le voir, les repas peuvent facilement devenir plus diététiques si l'on prend en compte le « facteur eau ». Ainsi, est-il tout à fait possible d'être rassasié avec 400 kcal, à condition que ces calories se trouvent dans une grosse assiette de soupe à la viande et aux légumes de type minestrone. Si vous mangiez ces 400 kcal sous la forme d'une petite part de gâteau à la crème et au chocolat ou d'une saucisse fumée de 85 g, vous auriez encore faim après. Mieux vaut prendre une salade de pommes de terre de taille moyenne : ce plat, qui affiche une densité énergétique de 1,1 kcal/g, peut constituer une excellente garniture, à condition bien sûr de ne pas y mettre une tonne de mayonnaise, ce qui le transformerait en une bombe à calories dégoulinante de graisse. Ajoutez-y par exemple une bonne quantité de dés de concombre (dont la valeur volumétrique est de 0,1 kcal par gramme !) ; votre salade en sera non seulement moins sèche et plus digeste, mais elle verra, en outre, sa valeur volumétrique baisser jusqu'à 0,6 (avec une quantité égale de pommes de terre et de concombre). L'ajout de concombre en améliorera le goût et en fera un excellent

plat d'un point de vue nutritionnel puisqu'il rassasiera sans faire grossir.
Vous pouvez appliquer la même méthode à n'importe quel autre aliment ou plat : ajoutez de l'eau ou bien un fruit ou un légume riche en eau à sa recette. Cela vous permettra d'absorber moins de matières grasses et de sucre, puisque vous serez plus vite rassasié.

Moins de calories et pas de fringales

Lorsque vous placez dans votre menu de nombreux aliments riches en eau, vous ne faites pas seulement ce qu'il y a de mieux pour votre silhouette, votre forme physique et votre santé, mais aussi pour votre palais !

- Le fromage blanc et le yaourt peuvent être agrémentés de petits morceaux de fruits frais, d'eau minérale gazeuse, de lait écrémé ou de jus, afin de réduire leur valeur volumétrique.
- Il est possible d'améliorer une pizza congelée avec de fraîches et légères rondelles de tomates, de courgettes et d'oignons, et des olives.
- Si, à la cantine, il n'y a que des saucisses, des morceaux de porc grillé ou de la viande panée, prenez donc une salade, des légumes ou une assiette de soupe en plus et laissez les plats de viande trop riches en cuisine.
- En ajoutant des légumes frais dans votre sauce bolonaise faite maison ou achetée en pot, vos pâtes n'en seront que meilleures.
- De tristes boulettes de viande hachée peuvent se transformer en délicieuse spécialité méditerranéenne rien qu'avec de petits morceaux d'oignon, d'ail et d'olives.
- Si vous avez une envie de pâtisserie : optez pour une tarte aux fruits ; poires, raisin, fraises, kiwis, ananas ou pommes regorgent de vitamines.

Comme vous pouvez le voir, la règle de base du régime volumétrique est très facile à appliquer du petit-déjeuner au dîner en passant par le déjeuner et le goûter. Elle permet de limiter le nombre de calories consommées sans devoir renoncer aux plaisirs des papilles.

CONSEIL

Boire avant de manger

Voici un truc génial : buvez un verre d'eau avant le repas ! Cela permet de remplir son estomac avant que les premiers signes de la faim ne se fassent sentir, et d'augmenter la consommation d'énergie par le corps (voir p. 26). Ensuite, les aliments secs que vous mangerez vont entrer en contact avec ce liquide dans votre estomac et gonfler, ce qui va accroître la sensation de satiété. Et en même temps, la valeur volumétrique de ces aliments diminuera.

INFO

Attention à la sauce !

- Rien de mieux, dit-on, qu'un peu de sucre et de beurre pour améliorer ses sauces. Cette règle est suivie par nombre de cuisiniers ; mieux vaut donc être prudent, surtout avec les sauces de cantine et les vinaigrettes toutes faites.
- Les sauces ne doivent leur goût, pour la plupart, qu'à une grande quantité de matières grasses et souvent au sucre ajouté pour jouer le rôle d'exhausteur de goût, si bien que parfois, la sauce accompagnant votre viande contient plus de calories que cette dernière.
- La même remarque est valable pour les sauces salade toutes prêtes. Il n'est pas rare qu'une salade fraîche et légère trempe dans un océan d'huile et de sucre. Un sachet de vinaigrette de fast-food a été analysé et la publication de ses valeurs nutritives a de quoi effrayer: plus de 300 kcal, soit plus de calories que dans un hamburger (environ 260 kcal).

Ce dont vous avez besoin dans votre cuisine

Il est naturellement possible de cuisiner des plats bons et sains avec n'importe quel matériel de cuisine. Toutefois, certains ustensiles et appareils électroménagers, ainsi qu'une réserve d'aliments de base peuvent se révéler très utiles lors de la préparation d'une alimentation volumétrique.

Les ustensiles pratiques

- De grands verres : pour boire toute la journée dans toute la maison, mieux vaut avoir de grands et beaux verres de 33 cl.
- De grandes tasses : la même chose est valable pour les infusions aux plantes et l'eau chaude citronnée, une grande tasse ou un grand bol vous incitera à une plus grande consommation.
- Une bouteille Thermos : elle vous permettra de garder vos boissons chaudes pendant des heures, même en hiver. Les thés et les citronnades glacés y resteront frais, même par les chaudes journées d'été.
- Un grand freezer : on prépare souvent trop de légumes ou de soupes : un grand freezer avec plusieurs étagères ou un congélateur à la cave peuvent alors se révéler très utiles.
- Des récipients et sacs de congélation : pour conserver vos restes de soupes et de légumes cuisinés au congélateur, vous devez avoir recours à des récipients ou à des sachets adaptés.
- Un mixeur : cet appareil magique est la meilleure arme contre la surcharge pondérale. Grâce à lui vous préparerez de délicieuses soupes onctueuses à partir de toutes les sortes de légumes.

Les provisions utiles

- Un choix d'infusions : ayez toujours plusieurs variétés d'infusions à la maison. L'offre est telle que ce ne sera pas difficile : menthe, fenouil, camomille, sauge, hibiscus, rooibos, mauve… tout est à 0 calorie.

- Du bouillon instantané : bouillon de légumes, de bœuf, de poulet et de poisson vous permettront de préparer rapidement de petites soupes.
- Des herbes fraîches : ciboulette, basilic, aneth, persil et autres herbes se cultivent facilement en pots. Vous pouvez donc avoir en permanence des plantes aromatiques fraîches sous la main pour agrémenter votre cuisine.
- Des müeslis : testez les produits des grands fabricants et comparez les compositions. Les fruits séchés ne doivent pas avoir été traités au soufre. On peut aussi composer son müesli soi-même, ce qui évite qu'il soit sucré. Vous trouverez facilement conseil dans un magasin de produits biologiques.
- Des graines de lin : elles contiennent énormément de fibres ainsi que des minéraux et des oligo-éléments vitaux comme le potassium, le calcium, le magnésium, le fer et le zinc, auxquels s'ajoutent les acides gras oméga 3 et oméga 6. La cuisine volumétrique ne peut s'en passer.

Outre l'eau du robinet ou l'eau minérale, il reste encore une liste d'aliments essentiels au régime volumétrique. Vous les découvrirez dans les deux pages suivantes.

Question arôme et goût, entre un plat aromatisé aux fines herbes fraîches et un plat préparé, aucune comparaison n'est possible.

Les indispensables de la cuisine volumétrique

Il est indispensable que vous ayez des provisions de ces différents aliments à la maison. Un regard sur la liste des ingrédients qui les composent et vous comprendrez pourquoi : ce sont des aliments amincissants, riches en substances nutritives, qui sont bons pour votre forme physique et votre santé.

Fruits de production locale

Pommes, poires, prunes, fruits rouges etc. sont d'excellentes sources de vitamines et aident en outre à mincir.
Par exemple, 100 g de fraises apportent environ : 5,5 g de sucre, 1,6 g de fibres, 161 mg de potassium, 21 g de calcium, 43 µg d'acide folique, 63 mg de vitamine C.

Légumes de production locale

Le choix est énormettes, asperges, poivrons, chou blanc, chou rouge, chou vert... ces derniers étant, même en hiver, une remarquable source de vitamines et de fibres.
100 g de chou vert contiennent ainsi : 4,3 g de protéines, 2,5 g de glucides, 4,2 g de fibres, 0,8 mg de vitamine A, 5,2 mg de bêta-carotène, 187 µg d'acide folique et 105 mg de vitamine C.

Légumes congelés et en boîte

De nombreux tests indépendants ont démontré que les produits congelés ou en conserve n'étaient en aucun cas plus mauvais que les produits frais vendus chez le marchand de primeurs. Souvent, les légumes ainsi traités sont meilleurs que les frais. Une étude du magazine allemand d'information Focus a d'ailleurs conclu que les tomates en boîte contenaient plus de vitamines et de lycopène – cette substance si précieuse qui protège la peau contre les dommages des UV et le vieillissement, et les hommes contre le cancer de la prostate – que les fraîches.
100 g de tomates fraîches d'Italie contiennent : 11 mg de vitamine C, 0,8 mg de bêta-carotène, 0,9 mg de vitamine E, 5,8 mg de lycopène.
100 g de tomates d'Italie en boîte renferment : 12 mg de vitamine C, 0,3 mg de bêta-carotène, 2,7 mg de vitamine E, 10 mg de lycopène.

Légumes secs

Les haricots, les pois et les lentilles sont des sources extraordinaires d'énergie et de protéines. Les légumes secs contiennent, en outre, de nombreux oligo-éléments et vitamines.
Si vous avez par exemple un penchant pour les pois vapeur, sachez qu'une portion de 100 g vous apporte : 22 g de glucides, 12 g de protéines, 9 g de fibres, 60 µg d'acide folique, 2,5 mg de fer et 2 mg de zinc.

INFO

Produits à base de céréales complètes

Les produits aux céréales complètes sont les aliments idéaux pour se rassasier le matin. Les flocons d'avoine en particulier doivent souvent faire partie du menu parce qu'ils sont excellents si l'on veut avoir une alimentation équilibrée, du fait de leur haute teneur en fibres et en protéines.
100 g de flocons d'avoine contiennent : 7 g de matières grasses, 13 g de protéines, 5,5 g de fibres, 0,3 g de potassium, 54 mg de calcium, 0,1 g de magnésium.

Produits laitiers écrémés

Le lait et les produits laitiers doivent aussi s'inscrire dans l'alimentation quotidienne, mais le plus souvent, si possible, sous forme de yaourt, de fromage blanc et de fromage frais pauvres en matières grasses. À ce propos, le fromage blanc est l'une des armes les plus efficaces du régime volumétrique ; on peut le manger épicé et étalé sur une tranche de pain ou bien en faire la base d'un plat sucré. De plus, il contient énormément d'eau, ce qui fait que le fromage blanc à 20 % de matières grasses (teneur en matières grasses de la masse sèche) contient en réalité seulement 4 % de matières grasses.
100 g de fromage frais à 20 % de MG renferment : 4 g de lipides, 10 g de protéines, 0,1 g de potassium, 0,1 g de calcium, 0,5 mg de zinc, 58 mg d'Oméga 3 et 100 mg d'oméga 6.

Morceaux de viande maigres

Si vous consommez beaucoup de protéines végétales, d'œufs et de produits laitiers, trois à quatre plats de viande par semaine sont largement suffisants. Le mieux est de cuisiner des morceaux de bœuf ou de porc maigres, du lapin ou de la volaille.
100 g d'escalope de porc contiennent : 2 g de lipides (dont 20 mg d'oméga 3 et 166 mg d'oméga 6), 20 g de protéines, 290 mg de potassium, 9 mg de calcium, 21 mg de magnésium, 2,6 mg de zinc.

Poissons de mer

Une à deux fois par semaine, mettez du poisson sur votre table. C'est un aliment riche en protéines et en matières grasses saines.
100 g de saumon contiennent : 6 g de matières grasses (dont 0,1 g d'acides gras oméga 3 et 97 mg d'acides gras oméga 6), 18 g de protéines et 34 µg d'iode.

Matières grasses de qualité

Il est aussi vital de disposer d'un bon choix d'huiles végétales de qualité, même si les huiles contiennent énormément de calorieson n'y a recours que pour faire cuire les aliments ou servir de base à une sauce, cela ne constitue pas un problème. Choisissez une huile d'olive de première pression à froid : elle doit porter l'appellation « vierge extra ». L'huile de colza et l'huile de lin raffinées sont idéales pour la cuisson.
100 g d'huile d'olive vierge extra contiennent : 13,3 g d'acides gras saturés, 70 g d'acides gras insaturés, 8 g d'acides gras polyinsaturés.

Idées de petits-déjeuners

Le repas du matin n'est pas seulement le premier, mais aussi le plus important des repas de la journée. Or une personne sur trois ne prend pas de petit-déjeuner, ce qui laisse augurer des quantités de barres chocolatées et autres produits malsains consommés pour calmer la faim au cours de la matinée. Un café bu à la hâte pour réussir à rester debout, un petit sandwich attrapé à la boulangerie de la gare, puis un pain au chocolat que l'on fait descendre avec un autre café... ce sont presque 600 kcal qui viennent d'être ingurgitées : mais peut-on parler de satiété ? Quant à la qualité de la nourriture et au plaisir de la bouche, il n'en est même pas question.

Comment bien commencer la journée

Une journée volumétrique commence autrement : après vous être levé, vous commencerez par boire un verre d'eau. Au bout de quelques jours, vous verrez, votre corps lui-même exigera de vous que vous lui octroyiez cette bienfaisante douche interne. Et vous remarquerez combien ces quelques gorgées d'eau stimulent votre digestion et votre circulation.

Un bon petit-déjeuner apporte au corps tout ce dont il a besoin pour être en forme physiquement et mentalement : beaucoup de liquide et de glucides pour les muscles, le cerveau et l'humeur, des protéines pour la sécrétion hormonale, des vitamines et des minéraux pour le système immunitaire. Un peu de matières grasses aussi sont nécessaires, afin que la sensation de satiété dure plus longtemps et aussi pour une amélioration du goût.

Bien manger le matin

Le petit-déjeuner volumétrique idéal est constitué de différents composants :

- Du liquide : buvez dès le lever un grand verre de 33 cl d'eau. Puis au moment du petit-déjeuner, buvez encore un demi-litre d'eau chaude citronnée, d'infusion aux fruits ou aux plantes. Vous pouvez évidemment aussi vous autoriser une tasse de café ou de thé noir.
- Des vitamines : un bon petit-déjeuner comporte toujours une coupe de salade de fruits, ou au moins un fruit frais : une pomme, deux kiwis ou une délicieuse pêche.
- Du pain de qualité : vous trouverez forcément votre bonheur en boulangerie : un bon pain croustillant et riche en céréales complètes. Vous avez le droit de mettre quelque chose de léger dessus. Et ce n'est pas forcément de la charcuterie !
- Des protéines : pour couronner le tout, vous pouvez aussi manger du yaourt, du fromage blanc, du müesli ou un œuf. Ensuite, la journée peut commencer et pendant trois à quatre heures, vous ne penserez plus à votre ventre. Essayez donc ce gros petit-déjeuner : vous serez surpris de voir à quel point il rassasie longtemps, sans peser pour autant sur l'estomac.

Des fruits pleins de vitamines

En principe, presque tous les fruits peuvent être coupés en petits morceaux et mélangés en salade. Si vous êtes pressé le matin, vous pouvez ouvrir une boîte de salade de fruits en conserve. Dès que vous aurez goûté aux fruits frais, toutefois, vous ne pourrez plus résister à la joie d'en avoir une belle corbeille bien remplie chez vous. Ils vous permettent de laisser libre cours à votre créativité en vous préparant chaque matin un concentré de vitamines qui a l'avantage de très bien rassasier. Si vous avez envie de sucré, prenez une banane ou une poire comme fruit principal. Si en revanche, vous avez envie d'acidité, épluchez-vous plutôt une orange, une tranche d'ananas ou un kiwi. En général, on conseille de mettre au moins un fruit juteux dans sa salade, une orange par exemple ou un kiwi mûr, de l'ananas ou du raisin. Dernier conseil : un petit jus de citron pour empêcher vos pommes, poires et bananes de brunir.

Quelques délicieuses noix pour agrémenter

Pour qu'une salade de fruits constitue un plat complet de petit-déjeuner, il faut que vous y mettiez une touche de bons lipides. Les différentes noix accompagnent très bien les fruits, et sont riches en acides gras insaturés très sains. Les cerneaux de noix en particulier renferment une grande concentration d'oméga 3 dont on connaît l'effet protecteur sur les vaisseaux sanguins. Les lipides jouent un rôle d'exhausteur de goût et rendent l'arôme des fruits encore plus intense. Les fruits secs aussi améliorent les salades de fruits, mais ils ont l'inconvénient d'avoir une forte densité énergétique.

Des salades de fruits pour tous les goûts

Essayez donc : commencez votre journée avec une salade de fruits frais. Vous verrez, vous ne pourrez plus vous en passer !

Salade de fruits au miel

Pour 4 personnes : 1 pomme (Boskoop, Braeburn ou Delicious) • 1 poire moyennement mûre (les Williams et les Abate sont particulièrement juteuses) • 1 banane • 200 g de raisin rouge • 100 g de cerneaux de noix • 1 cuil. à café d'huile de colza • 1 cuil. à café de miel • cannelle

Commencez bien la journée avec une délicieuse salade de fruits au miel, riche en substances nutritives.

1 Épluchez la pomme et la poire, ôtez-en le cœur, coupez-les en quartier, puis en fines tranches. Épluchez la banane et coupez-la en rondelles. Coupez les grains de raisin en deux et ôtez-en les pépins.

2 Faites revenir brièvement les noix dans une poêle dans laquelle vous aurez étalé l'huile et le miel.

3 Mélangez les morceaux de fruits, saupoudrez avec deux pincées de cannelle et garnissez avec les noix au miel chaudes.

Salade néo-zélandaise

Pour 4 personnes : 3 kiwis • 1 banane • 1 pomme • 100 g de pignons de pin

1 Épluchez les kiwis, coupez-les en deux, ôtez-en le cœur et coupez-les en rondelles. Épluchez la banane et coupez-la en rondelles. Coupez la pomme en quartiers, ôtez-en le cœur, puis coupez-la en fines tranches elle aussi.

2 Faites revenir brièvement les pignons dans une poêle et saupoudrez-les sur la salade de fruits.

Salade de fruits orangée

Pour 4 personnes : 2 oranges juteuses ou 3 oranges sanguines • 1 poire moyennement mûre • des fraises • 1 bouquet de mélisse

1 Épluchez vos oranges ; selon la taille des fruits coupez-les en 4 ou en 6, puis en petites tranches. Coupez la poire en 4, évidez-la et taillez-la en petits morceaux.

2 Mélangez les morceaux de poire et d'orange avec les fraises lavées et nettoyées.

3 Coupez la mélisse en petites bandes et ajoutez-les. Gardez quelques feuilles de côté pour la décoration.

Salade écolo

Pour 4 personnes : 3 carottes • 1 pomme acide (Boskoop ou Braeburn) • $^1/_2$ ananas frais ou 4 rondelles d'ananas en conserve • 100 g de cerneaux de noix • 1 cuil. à soupe d'huile de noix ou de colza • 1 cuil. à soupe de jus de citron

1 Râpez les carottes grossièrement, épluchez la pomme et l'ananas et coupez-les en morceaux. Hachez menu les cerneaux de noix et saupoudrez vos fruits avec.

2 Mélangez votre salade de fruits avec l'huile, et arrosez de jus de citron.

Salade de pastèque

Pour 4 personnes : $^1/_2$ pastèque ou $^1/_2$ melon de cavaillon • 1 banane • 2 pêches/nectarines • 50 g de chocolat noir

1 Coupez la chair de la pastèque en dés, et la banane en rondelles. Coupez les pêches/nectarines en petits morceaux. Mélangez le tout et versez la salade dans 4 coupelles.

2 Faites fondre le chocolat au bain-marie ; à l'aide d'une petite cuillère, dessinez des guirlandes de chocolat sur les fruits et laissez refroidir.

Conseil : pour une salade plus nourrissante agrémentée d'une touche de matières grasses, ajoutez des noix de cajou hachées.

Les yeux fermés, savourez votre salade de fruits exotiques et rêvez de Bali…

Souvenir de Bali

Pour 4 personnes : 1/2 ananas frais • 1 grenade • 1 banane

1 Épluchez l'ananas, ôtez-en cœur, coupez-le en petits morceaux. Dans votre évier, coupez la grenade en deux et évidez-la prudemment (les éclaboussures tachent, attention !).

2 Ajoutez à l'ananas avec la banane coupée en rondelles.

Conseil : vous pouvez ajouter quelques noix du Brésil hachées ; elles contiennent beaucoup de sélénium.

Alliance du rose et du vert

Pour 4 personnes : 4 kiwis • 200 g de framboises fraîches • 4 cuil. à soupe d'amandes pilées • 4 cuil. à café de chocolat noir haché

1 Épluchez les kiwis, coupez-les en deux, ôtez-en le cœur, puis coupez-les en tranches. Mélangez-les en douceur aux framboises.

2 Saupoudrez vos fruits de miettes d'amande jaune pâle et de pépites de chocolat noir.

Entre ciel et terre

Pour 4 personnes : 250 g de fraises • 2 poires Williams mûres • 1/2 citron • chocolat noir

1 Lavez les fraises, équeutez-les et coupez-les en quartiers. Lavez la poire, coupez-la en quartiers que vous éviderez et couperez en fines tranches.

2 Pressez votre demi-citron et arrosez les fruits avec le jus. Saupoudrez l'ensemble avec 4 cuil. à soupe de chocolat noir râpé (teneur en cacao la plus élevée possible).

Salade de prunes au miel

Pour 4 personnes : 5 grosses prunes (pas trop mûres) ou 12 petites quetsches • 1 banane • 3 mandarines sans pépins • 1 pot de yaourt nature • 1 cuil. à soupe de miel • cannelle

1 Dénoyautez les prunes ou les quetsches et coupez-les en quartiers. Coupez la banane en rondelles et séparez les quartiers des mandarines. Mélangez les fruits.

2 Mélangez le yaourt et le miel et répartissez-le dans 4 coupes. Ajoutez la salade par-dessus et saupoudrez de cannelle.

Le meilleur du pain

L'offre en pains est très large et variée : pain blanc ou de campagne, pain de seigle, de son, aux céréales… L'important, pour vous, c'est que ce soit un pain complet, parce qu'il contient plus de fibres (6 à 8 %). Plus vous en saurez sur les ingrédients et mieux ce sera. Le pain affiche une forte densité énergétique, mais vous pourrez la compenser en buvant, puisque, dans l'estomac, l'eau transforme le pain en une bouillie volumineuse.

Sur votre bon pain frais aux céréales complètes, vous pourrez étaler toutes sortes de choses, dans des proportions raisonnables évidemment : il arrive trop souvent qu'une fine galette se transforme en remorque à calories parce qu'on a placé dessus une montagne de beurre ou de pâte à tartiner au chocolat. Mais un soupçon de beurre, de confiture ou de pâte à tartiner à la noisette faite maison ne peut faire de mal à personne.

À croquer à pleines dents

- Le fromage blanc est le remplaçant idéal du beurre. C'est ce qu'il y a de mieux à tartiner, surtout si vous le mélangez à quelques fines herbes.
- Le fromage frais granuleux contient relativement peu de lipides. Il existe en outre à différentes teneurs en matières grasses. De ce fait, c'est le produit le plus recommandable pour agrémenter ses tartines, qu'on l'étale nature, ou comme le fromage blanc, mélangé à des fines herbes.
- Les pâtes à tartiner aux légumes représentent, elles aussi, une délicieuse alternative au fromage et à la charcuterie. Les bons supermarchés vous proposeront différentes pâtes toutes faites à la tomate, à l'avocat, au basilic ou au fenouil. La plupart du temps, elles contiennent relativement peu de lipides et ont très bon goût.
- Et si vous ne voulez absolument pas renoncer à la charcuterie, optez pour les produits les moins gras. Le jambon, par exemple, n'est pas si mauvais dans la mesure où il est composé en grande majorité de muscle. Rien à voir avec les saucisses qui sont composées de graisses et de tissus mélangés. Il existe aussi des produits à base de volaille, meilleurs d'un point de vue nutritionnel, puisqu'ils contiennent beaucoup de protéines mais

Des centaines de sortes de pains sur lesquelles on peut étaler tout autant de délices.

moins des mauvais acides gras saturés. Pensez donc à regarder les étiquettes. Un bon boucher doit aussi pouvoir vous informer sur les ingrédients utilisés et la teneur en matières grasses.

Pour les adeptes du sucré

Lorsque vous achetez des confitures, faites bien attention à ce qu'il y a d'écrit sur l'étiquette. Les confitures les moins chères contiennent peu de fruits, beaucoup de sucre et affichent souvent une liste imprécise d'ingrédients. Les bonnes confitures contiennent au moins 50 à 55 % de fruits. Leur teneur en glucides (sucre) doit être d'un peu plus de 30 % et leur valeur volumétrique doit atteindre au maximum 1,3 kcal par gramme. Vous pouvez alors sans complexes en étaler une fine couche sur vos tartines. Et si vous n'avez pas besoin de maigrir, vous pouvez rajouter une fine couche de beurre en dessous, le beurre n'étant déconseillé qu'en grande quantité.

Ceux qui pensent que la pâte à tartiner aux noisettes et au chocolat des magasins bio est forcément meilleure que la pâte originale ou ses imitations bon marché vendues chez les discounters se trompent. Toutes affichent une teneur en sucre épouvantable et cachent des graisses de mauvaise qualité. Mieux vaut en consommer en très petites quantités.

Pour la petite histoire : « Je voudrais une tartine à la banane » m'a demandé mon fils un matin. Je me suis d'abord dit qu'il voulait me faire une blague, mais comme il insistait, j'ai pris une tranche de pain aux céréales, je l'ai recouverte d'une très fine couche de beurre, puis d'épaisses tranches de banane. Eh bien, c'était très bon !

Quelques pâtes à tartiner maison

Il vous sera très facile de préparer de bonnes pâtes et crèmes à tartiner qui ne nuiront pas à votre santé. Comme toujours, gardez à l'esprit cette règle de la méthode volumétrique : des fruits et des légumes plutôt que du sucre et des matières grasses !

Fromage blanc aux fines herbes

Pour 2 personnes : $^1/_2$ bouquet de ciboulette • 250 g de fromage blanc (0 % ou 20 % de MG) • sel • paprika

1 Hachez la ciboulette et mélangez-la au fromage blanc. Ajoutez le sel et le paprika, mélangez : c'est fini !

Conseil : utilisez du cresson à la place de la ciboulette, c'est aussi bon. On le vend dans de pratiques petites barquettes. La moitié d'une suffit pour la quantité de fromage prévue. Taillez-le finement avec une paire de ciseau.

Tsatsiki

Pour 2 personnes : $^1/_3$ de concombre • 1 échalote • $^1/_2$ citron • sel et poivre • 250 g de fromage blanc à 0 % de MG

1 Râpez le concombre, hachez l'échalote et mélangez les deux ingrédients. Ajoutez 3 cuil. à soupe de citron pressé, du sel et du poivre.

2 Mélangez avec le fromage frais.

Conseil : si vous n'avez pas de rendez-vous important après, ajoutez 1 à 2 gousses d'ail pressées pour respecter la recette grecque.

Crème de lentilles

Pour 2 personnes : 250 g de lentilles rouges • 2 clous de girofle • 1/2 cuil. à café de thym • 1 gousse d'ail • 1 oignon • 2 cuil. à soupe d'huile d'olive • 1/2 citron • 1 bouquet de persil • du sel • piment

1 Faites cuire les lentilles avec les clous de girofle et le thym pendant 1 h dans 1 l d'eau. Puis égouttez-les et ôtez le clou de girofle et le thym. Réduisez les lentilles en purée au mixeur.

2 Épluchez les gousses d'ail et pressez-les, épluchez les oignons et hachez-les. Faites-les revenir à feu doux dans l'huile d'olive jusqu'à ce qu'ils deviennent translucides. Puis ajoutez-les à la purée de lentilles.

3 Versez encore 2 cuil. à soupe de jus de citron pressé et le persil haché. Assaisonnez avec le sel et un peu de piment.

Crème aux noix et au chocolat

Pour 2 personnes : 100 g de noisettes et 100 g de noix de cajou ou de noix • 2 cuil. à soupe de cacao • 2 cuil. à soupe de miel • 2 cuil. à soupe d'huile de colza

1 Moulez les noix finement au mixeur.

2 Mélangez le cacao, le miel et l'huile de colza dans une grande tasse et ajoutez-y les noix.

Conseil : Vous pouvez rendre cette crème encore plus onctueuse en y ajoutant un (très !) petit bout de beurre fondu.

Pain perdu

Pour 2 personnes : 4 à 6 tranches de pain de mie ou de pain bis aux céréales complètes • 10 cl de lait • 2-3 œufs • 2 cuil. à soupe d'huile de colza

1 Arrosez chaque face de vos tranches de pain avec 1 cuil. à soupe de lait.

2 Battez les œufs dans une assiette à soupe et mettez le pain à tremper dedans.

3 Faites chauffer l'huile de colza dans une poêle antiadhésive et faites-y revenir brièvement les tranches de pain des deux côtés jusqu'à ce qu'elles forment une croûte bien dorée.

Vous vous êtes levé du pied gauche ?
Un peu de pain perdu vous fera du bien.

Des protéines pour la forme

Si certains sportifs ont besoin de manger d'énormes quantités de protéines pour constituer leur musculature, la plupart des gens peuvent se contenter, le matin, de quelques grammes de celles-ci. Les protéines ont l'avantage de rassasier pendant très longtemps, mais ce n'est pas tout : elles apportent encore les substances indispensables à des fonctions corporelles importantes. Elles stimulent ainsi, entre autres, la sécrétion hormonale. Nous disposons d'une ribambelle d'aliments sains capables d'en apporter à notre organisme.

Toute une gamme de müeslis

Seuls les müeslis sans sucres ajoutés sont à recommander. En effet, les fruits contenus dans les préparations contiennent en général déjà du sucre en quantité suffisante. Il faut savoir que la densité énergétique du müesli est déjà très élevée (valeur volumétrique avoisinant les 3 kcal par gramme). Heureusement, les nombreuses fibres qu'il contient vont se mélanger dans l'estomac au liquide bu avant et gonfler, ce qui va provoquer assez rapidement une sensation de satiété.

Vous pouvez tout à fait préparer votre propre müesli en mélangeant divers types de céréales, comme les flocons d'avoine, de blé, de seigle, d'orge ou d'épeautre, et en y ajoutant des fruits frais, des noix et des graines de tournesol. Plus les ingrédients sont naturels et moins ils ont été traités et mieux c'est. Les céréales de type « miel pops » sont à éviter, car elles sont surtout composées de sucre et de glucides simples (maïs, riz) et ne renferment que peu d'éléments de qualité. Une fois votre müesli choisi, vous pouvez le manger avec du lait, du fromage frais ou du yaourt, et donc varier vos petits-déjeuners.

Vous trouverez des yaourts au müesli tout fait au rayon frais, mais faites attention au pourcentage de matières grasses et de sucre. Il ne faut pas dépasser les 12 % de sucre et les 5 % de matières grasses.

Müesli pommes/fromage frais

Pour 2 personnes : 300 g de fromage frais granuleux • 1 cuil. à café de miel • 5 cuil. à soupe de jus de pomme • 2 pommes acides • 1 citron • 2 cuil. à café de son de blé • cannelle

1 Mélangez le fromage frais avec le miel et le jus de pomme. Râpez les pommes, pressez le citron et versez-en le jus sur les pommes.

2 Versez le fromage dans des coupes, puis couvrez avec les pommes râpées, et saupoudrez avec le son de blé et la cannelle.

Variante : au lieu du son de blé, vous pouvez mettre des flocons d'avoine et des pignons de pin. Il suffit de faire revenir 2 cuil. à soupe de flocons d'avoine et 2 cuil. à soupe de pignons de pin dans une poêle avec de l'huile de colza, jusqu'à ce que les pignons soient bien dorés. Remuez à plusieurs reprises pour éviter que cela brûle. Puis saupoudrez flocons et pignons chauds sur le fromage frais et les pommes.

Un müesli à la pomme et au fromage frais est le petit-déjeuner idéal : vitamines, protéines et glucides se chargeront de vous donner l'énergie nécessaire pour bien commencer la journée.

Fromage blanc & Co

Le fromage blanc existe maigre à 0 % de MG, normal à 20 % de MG et crémeux à 40 % de MG. Vous pouvez le mélanger au besoin avec un peu de lait pour le rendre plus crémeux, et y ajouter du sucre vanillé ou du miel pour le sucrer. Tout, évidemment, dépend des quantités de matières grasses et de sucre pour lesquelles vous allez opter. Beaucoup se satisfont de 20 % de matières grasses et d'une cuillère à soupe de miel pour 250 g de fromage blanc. Et il n'y a rien à redire.

Pour ceux qui sont pressés : on vend aussi du fromage blanc aux fruits, souvent très bon, quand il n'est pas mousseux. Veillez cependant à ce qu'il ne soit pas trop sucré ; la teneur maximale acceptable est de 10 à 12 % de glucides (sucre).

Sinon, sachez qu'il est très facile de se composer soi-même de délicieuses préparations à base de fromage blanc ou de yaourt.

Fromage blanc à l'ananas

Pour 2 personnes : 4 rondelles d'ananas en boîte • 250 g de fromage blanc à 0 % • 4 cuil. à soupe de lait • 1 sachet de sucre vanillé • 1 kiwi • quelques cerises

1 Coupez l'ananas en petits morceaux et mélangez-les avec le fromage blanc, le lait et le sucre vanillé.

2 Répartissez le fromage blanc à l'ananas dans des coupelles et garnissez avec des rondelles de kiwi et des cerises.

Conseil : la variante grecque aussi est délicieuse : mélangez le fromage blanc ou le yaourt avec du miel, ajoutez un peu de lait et saupoudrez de pignons de pin grillés.

Les plats à base de produits laitiers

Un bon riz au lait ou un délicieux gâteau de semoule peut constituer votre petit-déjeuner puisque ces plats contiennent tout ce dont vous avez besoin : des glucides pour avoir rapidement de l'énergie, des protéines, des lipides, des vitamines et des fibres. Il suffit d'ajouter des fruits dans son riz au lait, par exemple, pour en faire un véritable plat complet.

Riz au lait à la pomme caramélisée

Pour 4 personnes : 125 g de riz au lait • 60 cl de lait • 1 cuil. à soupe de sucre • 2 pommes • 1 cuil. à soupe de beurre • 1 sachet de sucre vanillé • cannelle

1 Versez le riz et le lait dans une casserole et faites chauffer, ajoutez le sucre, puis laissez cuire à feu très doux pendant 30 min environ. Remuez fréquemment pour que le fond ne brûle pas.

2 Pendant ce temps, épluchez les pommes, évidez-les et coupez-les en fines tranches. Faites ensuite fondre le beurre dans une grande poêle antiadhésive, et faites-y revenir les pommes pendant 10 min. Saupoudrez de sucre vanillé et de cannelle et servez avec le riz au lait cuit.

Conseil : si vous êtes pressé, remplacez les pommes fraîches par de la compote de quetsches ou de pommes, des pêches ou des baies en conserve.

Galette de semoule aux prunes

Pour 4 personnes : 1 l de lait • 2 sachets de sucre vanillé • 200 g de semoule de blé tendre • 3 œufs • huile de colza • cannelle et sucre • 1 verre de compote de prunes

1 Faites bouillir le lait avec le sel et le sucre vanillé dans une casserole, versez la semoule dedans et remuez sans arrêt pendant 5 min jusqu'à obtenir une bouillie épaisse. Ôtez la casserole du feu, mélangez les œufs à la bouillie et laissez refroidir.

2 Étalez la pâte de semoule encore chaude jusqu'à ce qu'elle ne fasse plus qu'1 cm d'épaisseur et découpez-y des disques de la taille de la paume de la main. Faites chauffer 1 cuil. à soupe d'huile de colza dans une poêle antiadhésive et faites-y revenir les galettes, des deux côtés, pendant 3 min à chaque fois. Saupoudrez de cannelle et de sucre et servez avec la compote de prunes.

Conseil : vous pouvez préparer vos galettes la veille au soir, les servir froides et ne réchauffer que la compote. Ces galettes se conservent au moins deux jours au réfrigérateur.

Plats à base d'œufs

À la coque, durs, brouillés, sur le plat ou en omelette, les œufs sont une remarquable source de protéines et ils ont l'avantage de rassasier longtemps.

Petit-déjeuner gaucho

Pour 4 personnes : 1 oignon • 1 poivron rouge • 100 g de jambon • 4 cuil. à soupe d'huile de colza • 6 œufs • 2 cuil. à soupe de maïs • poivre noir • sel • paprika

1 Épluchez l'oignon et hachez-le, coupez le poivron et le jambon en petits morceaux. Faites revenir le tout dans une grande poêle antiadhésive avec l'huile de colza pendant 3 min.

2 Versez les œufs battus dans la poêle, puis lorsque l'omelette commence à prendre, ajoutez le maïs, de sorte que les grains s'enfoncent dedans. Quand l'omelette est bien dorée, coupez-la en quatre, retournez-en les parts et laissez cuire encore 2 min.

3 Assaisonnez avec du poivre noir, du sel et du paprika.

Omelette aux légumes colorés

Pour 4 personnes : 4 oignons de printemps • 1 poivron vert • 2 petites courgettes • 150 g de tomates cerises • 3 cuil. à soupe d'huile de colza • 6 œufs • sel • poivre • 1 bouquet de ciboulette

1 Lavez et coupez en petits morceaux les oignons et le poivron. Épluchez les courgettes et coupez-les en fines rondelles, lavez les tomates cerises et coupez-les en deux.

2 Faites revenir légèrement les oignons et le poivron dans l'huile, dans une poêle antiadhésive. Ajoutez les rondelles de courgette et faites revenir l'ensemble pendant 2 min à feu doux. Puis disposez les moitiés de tomates dans la poêle, côté bombé vers le haut et laissez cuire 4 min de plus.

3 Battez vos œufs, salez-les et poivrez-les, puis versez-les dans la poêle.

4 Lavez la ciboulette, hachez-la et saupoudrez l'omelette avec, puis couvrez et laissez cuire.

Variante : à la place de la ciboulette, vous pouvez utiliser des feuilles de basilic haché et parsemer quelques copeaux de parmesan sur votre omelette, juste avant qu'elle ne prenne complètement.

La journée commence forcément bien avec une omelette colorée aux légumes.

À midi, c'est le repas principal

Des trois repas qui composent le régime volumétrique quotidien, le déjeuner est le plus volumineux et le plus riche en calories. Comme il vous reste encore plusieurs heures d'activité, vous avez besoin de mettre un carburant digne de ce nom dans votre réservoir. Des glucides, des protéines, un peu de lipides, des fibres et toutes les vitamines indispensables : voilà ce que le déjeuner volumétrique doit vous offrir. Idéalement, ce repas commence par une soupe ou une salade, et il peut se terminer par un dessert raisonnable comme du fromage blanc pas trop sucré, un entremets ou une salade de fruits.

Des plats sains et variés

En pratique, la plupart des personnes qui travaillent mangent à la cantine, au fast-food ou au restaurant, ou se nourrissent des sandwichs qu'elles ont apportés. Pizzas, saucisses au curry et sandwichs divers, puisque c'est ce qu'on mange le plus souvent, rassasient certes sur le coup, mais ne suffisent malheureusement pas pour tenir tout l'après-midi. Il faut toutefois avouer que de plus en plus souvent, restaurants et cantines sont dirigés par des cuisiniers novateurs qui proposent des buffets de crudités, des soupes et fréquemment des plats à base de poisson très sains. Si vous avez la possibilité de manger du poisson, d'ailleurs, n'hésitez pas, car comme il est précisé dans la liste de la page 72, il n'y a pas de meilleure source de protéines. En outre, les oméga 3 contenus dans les poissons constituent la meilleure prophylaxie contre les maladies cardiovasculaires.

Choisir son menu à la cantine : quel plat est volumétrique ?

Au restaurant et à la cantine, faites juste attention à quelques points :

- D'abord, qu'est-ce qui vous fait vraiment envie ? Pour une fois, vous pouvez préférer la cuisine asiatique ou la cuisine méditerranéenne, plus légères, aux fritures !
- Quel plat correspond le mieux aux principes volumétriques ? Une soupe en entrée, beaucoup de légumes comme plat principal, une grande bouteille d'eau minérale et quelque chose de fruité en dessert : avec ça, vous n'avez rien que des bons points.
- Où se trouvent les ingrédients les plus nutritifs et les plus naturels ? Le poisson et, pour la viande, les morceaux de muscle renferment de bons acides gras insaturés. La salade contient des vitamines, des minéraux et des fibres. Préférez donc les pommes de terre en robe de champs aux frites ou aux pommes noisette.
- Renseignez-vous pour savoir si la nourriture est fraîche ou congelée et d'où elle provient. Les fruits et les légumes congelés ne posent pas de problèmes. En revanche, les plats préparés industriels ne sont souvent pas de très bonne qualité. Les clients des cantines devraient être mieux informés sur les ingrédients employés, leur valeur calorique, la présence de matières grasses ou le mode de fabrication des plats.

D'excellentes recettes pour tous les goûts

Le week-end, par chance, vous pourrez cuisiner volumétrique le midi. Voici donc pour vous aider quelques recettes simples, saines et délicieuses. Le plus important est de ne pas oublier de boire votre grand verre d'eau avant le repas ou éventuellement pendant que vous cuisinez (c'est obligatoire !).

La cuisine asiatique, très riche en légumes, est parfaitement adaptée au régime volumétrique.

Ratatouille de « Chez Martin »

Pour 4 personnes : 2 oignons • 2 cuil. à soupe d'huile d'olive • 1 gousse d'ail • 1 cuil. à café de sucre • 2 carottes • 5 tomates allongées fraîches ou en boîte • 300 g de courgettes • 300 g d'aubergines • 25 cl de bouillon de viande (instantané) • 10 cl de vin rouge (si aucun enfant ne mange) • sel • herbes de Provence (congelées ou séchées) ou romarin frais • poivre noir • poivre de Cayenne

Préparation : 45 min.

1 Épluchez les oignons, hachez-les et faites-les cuire 5 min dans l'huile d'olive. Ajoutez l'ail haché et le sucre et faites revenir pendant 2 min. Puis ajoutez les carottes coupées en rondelles épaisses et faites revenir 2-3 min de plus.

2 Ajoutez les tomates, les courgettes et les aubergines en morceaux ainsi que le bouillon (eau + bouillon cube ou bouillon tout prêt) et laissez cuire.

3 Versez le vin blanc, assaisonnez avec le sel, les herbes de Provence ou le romarin frais, le poivre noir et de Cayenne. Couvrez pendant 20 min à feu doux jusqu'à ce que les légumes soient bien cuits, mais encore croquants.

Conseil : accompagnez ce plat avec des pommes de terre en robe des champs, cuites à l'eau ou au four. Vous pouvez aussi prendre du riz, de la semoule, de la polenta ou tout simplement du pain aux céréales complètes : ce sera délicieux.

Lasagnes au chou vert

Pour 4 personnes : 500 g de chou vert • 50 g de jambon • 2 oignons • 3 cuil. à soupe d'huile de colza • 50 cl de bouillon de légumes (instantané) • sel • sucre • poivre noir • 1 cuil. à soupe de moutarde • 150 g de mozzarella • 100 g de crème fraîche • 5 cuil. à soupe de lait • 1 paquet de lasagnes • 1 pot de sauce tomate napolitaine toute prête

Préparation : 1 h 15 min.

1 Préchauffez votre four à 200 °C. Nettoyez le chou vert, lavez-le, faites-le blanchir par portion dans beaucoup d'eau salée, 3 min à chaque fois.

2 Coupez en tous petits morceaux le jambon et les oignons et faites-les revenir à feu doux dans l'huile de colza. Ajoutez le chou vert, puis versez le bouillon par-dessus et laissez cuire. Assaisonnez avec le sel, le sucre, le poivre et la moutarde. Puis couvrez pendant 25 min.

3 Mélangez la mozzarella en morceaux avec la crème fraîche et le lait.

4 Remplissez un moule à gratin (env. 27 x 21 cm) de couches de lasagnes et de chou vert en alternance. Puis versez le mélange au fromage dessus. Faites cuire 35 min env. à mi-hauteur du four.

5 Pendant ce temps, réchauffez la sauce napolitaine et ajoutez-y éventuellement du poivre de Cayenne. Vous la servirez avec les lasagnes. L'accord parfait du vert du nord et du rouge méditerranéen vous surprendra.

Une cuisse de poulet aux olives et au romarin : délicieux avec de la semoule.

Cuisses de poulet à la marocaine

Pour 4 personnes : 4 cuisses de poulet • 2 cuil. à soupe d'huile d'olive • 1 oignon • 1 gousse d'ail • 25 cl de bouillon de légumes instantané • 300 g de tomates cerises • 2 feuilles de laurier • 2 carottes • 150 g d'olives noires • romarin séché • poivre noir • sel

Préparation : 1 h 15 min.

1 Lavez les cuisses de poulet, séchez-les et faites-les revenir 5 min de chaque côté dans une grande sauteuse avec de l'huile d'olive. Ajoutez les oignons hachés et faites revenir le tout 5 min à feu moyen. Ajoutez la gousse d'ail coupée en petites tranches fines et faites revenir 2 min de plus à feu doux.

2 Versez dans la poêle le bouillon de légumes, les tomates cerises et les feuilles de laurier, couvrez et laissez mijoter 40 min.

3 Coupez les carottes en rondelles, ajoutez-les dans la poêle avec les olives dénoyautées et coupées en deux et le romarin. Laissez mijoter 15 min de plus.

4 Assaisonnez avec le poivre noir et le sel. Otez les feuilles de laurier avant de servir.

Variante : au lieu des olives, vous pouvez ajouter 150 g de raisins secs, mais faites-le seulement 5 min avant la fin.

Conseil : ce plat se marie bien avec les pommes de terre, le riz et la polenta, et aussi en particulier avec la semoule (Voir la recette suivante).

Graine de couscous

Pour 4 personnes : 250 g de semoule • 2 cuil. à soupe d'huile d'olive • 20-30 cl de bouillon de poule (instantané) • 1 cuil. à café de beurre

1 Mélangez la semoule et l'huile d'olive dans un saladier. Versez dessus le bouillon bouillant et ajoutez la noix de beurre. Mélangez de nouveau.

2 Laissez la semoule gonfler à feu très doux pendant 10 min en remuant de temps en temps.

Goulasch à la mode de Szedeg

Pour 4 personnes : 4 petits oignons • 2 cuil. à soupe d'huile de colza • 1 gousse d'ail • 1 cuil. à café de sucre • 30 cl de bouillon de viande • 1 cuil. à café de paprika doux • 800 g de choucroute • 750 g de bourguignon • 140 g de concentré de tomate • poivre noir • sel • poivre de Cayenne • crème fraîche

Préparation : 1 h 15 min.

1 Épluchez les oignons, hachez-les et faites-les revenir 5 min dans l'huile de colza. Ajoutez la gousse d'ail hachée et le sucre, et faites revenir 2 min de plus. Puis versez le bouillon, le paprika et ajoutez la choucroute.

2 Ajoutez la viande, couvrez et laissez cuire à feu doux env. 1 h.

3 Assaisonnez avec le concentré de tomate, le poivre noir, le sel et le poivre de Cayenne. Servez le goulasch avec un nuage de crème.

Conseil : se marie bien avec des pommes de terre en robe des champs.

Marmite de lentilles

Pour 4 personnes : 1 gros oignon • 1 cuil. à soupe d'huile de colza • 2 cuil. à café de sucre • 1 gousse d'ail • 200 g de jambon • 2 boîtes de concentré de tomate de 140 g • 25 cl de bouillon de légumes • 800 g de lentilles brunes en boîte • 2 cuil. à soupe de vinaigre balsamique • poivre noir • sel • 1/2 bouquet de persil

Préparation : 15 min.

1 Faites fondre l'oignon haché dans 1 cuil. à soupe d'huile de colza, ajoutez 1 cuil. à café de sucre, puis pressez l'ail et faites-le revenir brièvement.

2 Coupez le jambon en petits morceaux et ajoutez-le aux oignons, ainsi que le concentré de tomate. Arrosez avec le bouillon, puis versez les lentilles égouttées dedans. Laissez mijoter quelques minutes.

3 Juste avant de servir, assaisonnez avec le vinaigre balsamique, le reste du sucre, le poivre noir et le sel. Lavez le persil, hachez-le et saupoudrez-le sur le plat.

Conseil : ce plat riche en fibres rassasie très bien ; un petit morceau de pain aux céréales suffit comme accompagnement.

Spaghetti Carbonara

Pour 4 personnes : 500 g de spaghetti • 4 œufs • 4 cuil. à soupe de lait • 2 cuil. à soupe de mélange de fines herbes italien frais ou congelé • 2 cuil. à soupe d'huile d'olive • 150 g de jambon • 1 gousse d'ail • 100 g de parmesan

Préparation : 35 min.

1 Faites cuire les spaghettis al dente. Pendant ce temps, battez vos œufs avec le lait et les fines herbes.

2 Égouttez les spaghettis. Versez l'huile d'olive dans la casserole et faites-y revenir rapidement le jambon en dés et l'ail pressé. Ajoutez les spaghettis et mélangez.

3 Retirez la casserole du feu et versez tout de suite dedans le mélange œufs/lait/ herbes. Mélangez jusqu'à ce que les œufs prennent.

4 Avant de servir saupoudrez chaque portion de parmesan.

Conseil : comme ce plat est relativement lourd, il est indispensable, dans le cadre du régime volumétrique, d'y adjoindre une salade. Un mélange de mâche et de mandarine irait parfaitement et stimulerait votre digestion. Assaisonnez-la avec du citron, de l'huile d'olive, du sel et du sucre.

Tagliatelle nazionale

Pour 4 personnes : 500 g de tagliatelles vertes • 1 grosse carotte • 1 gros oignon • 2 cuil. à soupe d'huile d'olive • 1 gousse d'ail • 1 boîte de tomates pelées (800 g) • 1 boîte de concentré de tomate (140 g) • sel • 1/2 cube de bouillon • poivre noir • poivre de Cayenne • 100 g de parmesan

Préparation : 40 min.

1 Faites cuire vos tagliatelles 8 à 10 min selon les indications fournies.

2 Coupez les carottes en deux dans le sens de la longueur, puis en petites tranches. Hachez les oignons et faites-les revenir dans l'huile d'olive. Ajoutez l'ail pressé, puis les carottes. Faites revenir le tout pendant 3 min.

3 Ajoutez les tomates et le concentré de tomate et laissez mijoter 10 min. Assaisonnez ensuite avec le sel, le bouillon, les poivres noir et de Cayenne.

Conseil : avec les tagliatelles vertes, la sauce à la tomate et les copeaux de parmesan blanc, vous pouvez dessiner le drapeau italien dans les assiettes.

Le drapeau italien dans son assiette grâce aux tagliatelles colorées.

Fricadelles au fromage frais

Pour 4 personnes : 2 oignons • 500 g de viande hachée (bœuf et porc) • 250 g de fromage frais (maigre) • 2 œufs • 1/2 cuil. à café de romarin et 1/2 cuil. à café de marjolaine • poivre noir • sel • 50 g de panure • 3 cuil. à soupe d'huile d'olive

Préparation : env. 30 min.

1 Hachez menu les oignons et mélangez-les avec la viande hachée, le fromage frais, les œufs, le romarin et la marjolaine. Assaisonnez avec le poivre et 1 cuil. à café de sel.

2 Formez des boulettes de la taille de la paume, roulez-les dans la panure, puis faites-les revenir dans une poêle antiadhésive avec l'huile de colza pendant env. 15 min.

Conseil : mangez ces boulettes avec une salade de pommes de terre (voir p. 102).

Grenouilles et poisson

Pour 4 personnes (de tous âges) : 500 g de pommes de terre • sel • cumin • 4 filets de lieu noir • 2 citrons • 1 oignon • 1 cuil. à soupe d'huile d'olive • 4 cuil. à soupe de crème fleurette • 1 cuil. à soupe de Ketchup • 250 g de petits pois (en boîte ou congelé) • 20 cl de lait • muscade moulue

Préparation : 40 min.

1 Épluchez les pommes de terre, coupez-les en quartiers et faites-les cuire dans de l'eau salée agrémentée d'un peu de cumin, pendant 15-20 min, jusqu'à ce qu'elles soient molles.

2 Pendant ce temps, lavez le poisson, séchez-le et salez-le. Pressez les citrons. Arrosez le poisson avec la moitié du jus. Faites revenir les oignons hachés avec de l'huile d'olive dans une poêle antiadhésive. Ajoutez le jus de citron restant avec la crème et le Ketchup, puis déposez le poisson et couvrez pour le faire cuire dans la sauce composée, 4 min env. de chaque côté.

3 Égouttez les pommes de terre et faites chauffer les petits pois (les petits pois congelés doivent parfois être cuits avant) dans la moitié du lait. Gardez quelques pois pour la décoration. Mélangez pommes de terre et pois, et écrasez le tout au mixeur de sorte à former une purée. Ajoutez peu à peu le lait restant en veillant à ce que la purée ne devienne pas liquide. Assaisonnez avec un peu de muscade et de sel.

4 Disposez le poisson dans les assiettes. Huilez une louche (pour que la purée ne colle pas !) et « formez » des grenouilles de purée verte avec. Vous ferez les yeux avec les pois mis de côté.

Salade de pommes de terre

Pour 4 personnes : 750 g de petites pommes de terre fermes à la cuisson • 2 oignons • 1 cuil. à café de sel • poivre noir • 3 cuil. à soupe d'huile de colza • 1 cuil. à soupe de moutarde douce • vinaigre de vin blanc • 10 cl de bouillon chaud • concombre, chicorée ou fenouil

Préparation : 1 h.

1 Faites cuire les pommes de terre pendant 30 min, passez-les à l'eau froide, pelez-les et coupez-les en tranches.

2 Ajoutez-y l'oignon haché menu, le sel, le poivre, l'huile de colza, la moutarde, un peu de vinaigre de vin et le bouillon chaud. Laissez refroidir un peu.

3 Agrémentez la salade encore tiède avec du concombre, de la chicorée ou du fenouil pour la rendre encore plus volumétrique.

Rôti de porc à la bavaroise

Pour 4 personnes : 2 oignons • 1 kg de rôti de porc sans os (épaule ou gigot) • sel • 1/2 cuil. à café de cumin en poudre • poivre noir • 1 cuil. à soupe d'huile de colza • 2 carottes • 4 tomates • 1/2 bulbe de céleri • 1/2 cuil. à café de sucre

Préparation : 2 h.

1 Coupez les oignons en dés. Roulez la viande dans le sel, le cumin et le poivre. Dessinez des croix au couteau dans la couenne. Faites ensuite revenir le rôti avec l'huile de colza dans une sauteuse pendant 5 min env.

2 Préchauffez votre four à 180 °C puis faites-y cuire la viande, couenne vers le haut, pendant env. 1 h 30 min. Arrosez de temps à autre avec de l'eau ou le jus de cuisson, afin que la viande ne sèche pas.

3 Lavez les légumes, nettoyez-les, coupez-les en dés et ajoutez-les à la viande. Ils doivent tremper dans la sauce. Laissez cuire l'ensemble encore 30 min.

4 Sortez le rôti du four et gardez-le au chaud. Mixez les légumes cuits et le jus. Assaisonnez cette sauce avec le sel, le sucre et éventuellement du poivre de Cayenne.

5 Tranchez le rôti et servez-le avec sa sauce, accompagné de boulettes de pommes de terre, de polenta ou de riz.

Rouleaux de chou chinois

Pour 4 personnes : 700 g de chou chinois • 100 g de parmesan • 1 bouquet de persil • 1 cuil. à soupe de miel • poivre noir • ail en poudre • 1/2 cuil. à café de sel • poivre de Cayenne • 250 g de fromage blanc (à 0 % de MG) • 200 g de champignons de Paris • 3 cuil. à soupe d'huile de colza • 1 pot de sauce tomate au basilic (toute faite) • ficelle de cuisine

Préparation : 1 heure

1 Séparez les feuilles du chou chinois, lavez-les et faites-les bouillir dans de l'eau salée pendant 5 à 7 min, jusqu'à ce qu'elles soient molles. Égouttez-les et étalez-les sur une grande planche.

2 Râpez le fromage. Lavez le persil, hachez-en menu les deux tiers que vous mélangerez au fromage blanc, aux champignons coupés en petits morceaux et au miel. Poivrez, aillez, salez. Placez ensuite 1 cuil. à soupe bombée de cette farce sur la base de chaque feuille de chou, puis enroulez la feuille autour. Attachez avec soin vos rouleaux avec de la ficelle.

3 Faites revenir vos rouleaux de tous les côtés dans de l'huile de colza bien chaude, puis laissez cuire pendant 5 min de plus à couvert. Ajouter la sauce tomate, et laissez mijoter 10 min de plus.

4 Sortez prudemment les rouleaux de la poêle et disposez-les dans les assiettes, non sans ôter la ficelle. Ajoutez la sauce tomate et décorez avec le persil restant.

› De la gourmandise et pas de remords : rouleaux de chou chinois garnis de farce légère.

Blancs de dinde dorés au miel

Pour 4 personnes : 750 g de blanc de dinde • poivre noir • 2 cuil. à soupe d'huile de colza • 1 cuil. à café de romarin • 2 feuilles de laurier • 50 g de beurre • 2 cuil. à soupe de miel • 3 oranges • sel • 1 bouquet d'oignons nouveaux

Préparation : 40 min.

1 Lavez la viande, séchez-la, poivrez-la et faites-la revenir à feu vif dans de l'huile. Ajoutez le romarin et le laurier et faites cuire 10 min de plus env. Faites fondre le beurre en copeaux sur la viande, puis remuez.

2 Ajoutez le miel et laissez la viande caraméliser jusqu'à ce qu'elle soit bien dorée. Sortez-la alors de la poêle, enroulez-la dans du papier aluminium et mettez-la au four à 70 °C.

3 Pressez les oranges et versez-en le jus dans la poêle. Salez, poivrez et laissez mijoter jusqu'à ce que le jus se concentre. Lavez les oignons et coupez-les en fines rondelles. Passez la sauce à la passoire.

4 Coupez la viande en tranches et garnissez avec la sauce et les oignons.

Conseil : se marie bien avec de la purée de pommes de terre ou du riz.

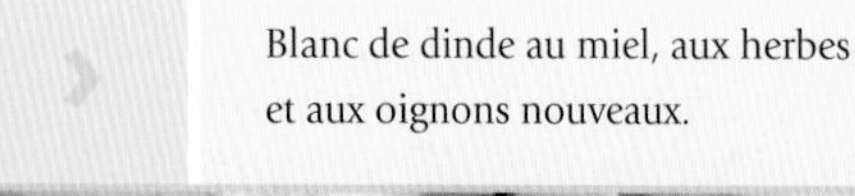

Blanc de dinde au miel, aux herbes et aux oignons nouveaux.

Salade sucré-salé

Pour 4 personnes : 3 pommes acides (Braeburn) • 1 citron • 1 grande boîte d'ananas • 1 céleri en branche • 2 cuil. à soupe de mayonnaise • poivre noir • 1/2 cuil. à café de sel • 150 g de cerneaux de noix

Préparation : 15 min.

1 Lavez les pommes, évidez-les, puis coupez-les en petits morceaux. Arrosez-les aussitôt avec le jus du citron pressé. Coupez l'ananas en petits morceaux et mélangez-le aux pommes. Détachez les pétioles du céleri, lavez-les et coupez-les en petites bandes.

2 Mélangez le tout avec la mayonnaise, salez et poivrez. Hachez les noix, saupoudrez la salade avec et mettez le tout au réfrigérateur.

3 Au moment de servir, décorez avec quelques feuilles de céleri.

Veau rôti aux herbes sur lit de légumes

Pour 4 personnes : 800 g de filet de veau • 1 cuil. à soupe d'huile de colza • 4 cuil. à café de fines herbes (origan, persil, estragon, romarin, sauge) • 1/2 cuil. à café de sel • 10 cl de vin blanc • 1 citron • 1 pot de crème fraîche • 2 jaunes d'œuf • poivre noir • 3 carottes • 1 chou-rave • 1 courgette • 2 gousses d'ail • 2 oignons • 1 cuil. à soupe d'huile d'olive • 1 cuil. à café de beurre

Préparation : 45 min

1 Préchauffez votre four à 200 °C. Faites revenir brièvement la viande à feu vif sur tous les côtés, avec l'huile de colza, dans une sauteuse. Saupoudrez les fines herbes hachées dessus (sauf les feuilles de sauge qui restent entières) et salez, puis mettez au four, à mi-hauteur pendant 15 min.

2 Récupérez le fond de cuisson en le diluant avec le vin, le jus du citron et la crème fraîche, puis passez-le au chinois et mélangez-le avec les deux jaunes d'œufs. Poivrez et salez cette sauce.

3 Pendant que la viande cuit au four, lavez et préparez les légumes : faites une julienne avec les carottes, épluchez le chou-rave et la courgette et coupez-les en dés d'1 cm de côté. Épluchez l'ail et coupez-le en fines tranches.

4 Pelez les oignons, hachez-les et faites-les revenir brièvement dans de l'huile d'olive avec l'ail, dans une poêle. Ajoutez les légumes. Salez, poivrez et ajoutez le beurre, puis couvrez et laissez cuire 10 à 12 min en remuant plusieurs fois et en ajoutant quelques cuillerées à soupe d'eau. Les légumes doivent être bien cuits, mais rester croquants.

5 Disposez les légumes dans les assiettes et le veau découpé à côté, puis arrosez de sauce.

Conseil : ce plat se marie bien avec les pommes de terre à l'eau ou simplement avec quelques tranches de pain aux olives.

Les légumes aux fines herbes donnent au rôti de veau son goût unique.

Le dîner, un repas léger

Un petit dîner aux chandelles : si le soir, il est normal de vouloir se sustenter, ce repas ne doit surtout pas plomber l'estomac. Tout ce qui est difficile à digérer, comme la viande grasse en quantité, le fromage, les desserts riches en calories, et surtout tout ce qui contient une majorité de sucres simples est à éviter. En outre, mieux vaut renoncer aux boissons alcoolisées, en particulier les spiritueux et les cocktails. Un bon dîner doit savoir rester léger.

Mieux vaut dîner tôt

On recommande de dîner au moins trois heures avant le coucher. Cela laisse à l'appareil digestif suffisamment de temps pour faire son travail. Pendant la nuit, l'organisme pourra alors puiser tranquillement son énergie dans ses réserves de graisses. Plus cette opération dure, plus elle est efficace. Si vous souffrez de surpoids, renoncez donc de temps en temps au dîner. Et même si votre poids est normal, un jeûne occasionnel le soir ne peut que vous faire du bien. Essayez donc un jour et remplacez votre repas du soir par une tasse de tisane ou d'eau chaude citronnée. Il n'est pas rare de ne manger que par habitude.

Le soir, on renoncera donc au pain et au fromage, à la charcuterie, aux friandises, aux opulents desserts et aux écarts alcoolisés, car tous ces aliments retarderaient le brûlage des graisses de plusieurs heures, l'organisme trouvant l'énergie qui lui est nécessaire dans l'immense quantité de calories issues, par exemple, des glucides et de l'alcool ingurgités. Le mieux, c'est donc d'opter pour des légumes, des fruits et des aliments riches en protéines. Le soir est aussi le moment idéal pour passer sa journée en revue : qu'avez-vous mangé plus tôt ? Manque-t-il encore des protéines, de bonnes graisses, des fibres, des vitamines ? Avez-vous déjà pris une omelette le matin ? Dans ce cas, vous éviterez l'œuf brouillé et préférerez une salade mixte ou une soupe asiatique.

Composez votre repas selon vos envies et vos humeurs

Les recettes suivantes peuvent être combinées pour composer vos menus du soir. Si la salade au chou rouge et à l'orange vous paraît trop peu nourrissante, ajoutez-y un toast hawaiien. Et avant votre fricadelle de sébaste, vous pourrez peut-être terminer un reste de minestrone précédemment congelé.

Salade de chou rouge à l'orange

Pour 4 personnes : 1 petit chou rouge (800 g env.) • 1 cuil. à café de sel • 4 oignons de printemps • 2 oranges • poivre noir • 1 cuil. à café de graines de fenouil • 2 cuil. à soupe d'huile d'olive • 100 g de cerneaux de noix • sucre • 5 cl de jus d'orange • 2 cuil. à soupe de persil haché

Préparation : 25 min.

1 Coupez le chou rouge en quatre, lavez-le à l'eau chaude et coupez-le en fines lamelles grâce à une râpe. N'utilisez pas le tronc. Salez, mélangez pendant 5 min et écrasez.

2 Lavez les oignons et coupez-les en fines rondelles. Épluchez les oranges, coupez-les en quartiers, puis en tranches en ôtant les pépins.

3 Dans un saladier, mélangez du sel, beaucoup de poivre noir, les graines de fenouil écrasées et 2 cuil. à soupe d'huile d'olive. Ajoutez le chou rouge, les oranges et les oignons.

4 Hacher les noix et faites-les revenir brièvement à la poêle sans ajouter de graisse. Saupoudrez une pincée de sucre dessus, puis mélangez-les dans un bol avec le jus d'orange, le persil et une pincée de sel. Répartissez la sauce aux noix sur la salade. C'est le dernier point de cette recette tirée du magazine allemand Stern.

Conseil : s'accompagne très bien d'un morceau de pain à l'ail.

De délicieux beignets de chou-fleur pané dorés à point.

Beignets de chou-fleur

Pour 4 personnes : 1 chou-fleur • farine • 4 œufs • panure • huile de colza • sel • poivre • ½ citron • basilic • 200 g de yaourt

Préparation : 40 min.

1 Séparez les bouquets du chou de leurs tiges, lavez-les à l'eau chaude, nettoyez-les et faites-les cuire pendant 15 min dans 1 l d'eau salée. Sortez-les juste avant qu'ils ne deviennent mous.

2 Égouttez le chou-fleur et roulez-le dans la farine, puis dans l'œuf battu, et enfin dans la panure.

3 Faites cuire les bouquets de chou panés à l'huile de colza dans une grande poêle, à feu doux pendant 15 min environ. Veillez à les retourner de temps en temps. Salez et poivrez suivant votre goût.

4 Pressez le citron, hachez le basilic. Mélangez le yaourt avec 1 cuil. à soupe d'huile de colza, le jus de citron, du sel, du poivre et le basilic pour former une sauce que vous servirez à côté des fleurs de chou dorées.

Filet de veau en salade

Pour 4 personnes : 300 g de courgettes • 1 gousse d'ail • 3 échalotes • 1 cuil. à soupe d'huile d'olive • ½ citron • 2 cuil. à soupe de miel • sel • poivre noir • 300 g de filet de veau d'un ½ cm d'épaisseur • 300 g de salade mixte • 1 bouquet de cerfeuil

Préparation : 20 min

1 Lavez les courgettes, coupez-les en quatre dans le sens de la longueur et faites des petits morceaux de 1 à 2 cm de long. Épluchez l'ail et l'échalote et hachez-les.

2 Faites chauffer l'huile d'olive dans une poêle, puis versez-y la courgette, l'ail et l'échalote pour les y faire revenir brièvement. Pressez le citron et mélangez-en le jus avec du miel et 5 cuil. à soupe d'eau. Versez cette sauce dans la poêle et assaisonnez avec du sel et du poivre noir. Laissez cuire à feu doux.

3 Dans une deuxième poêle, faites griller la viande avec un peu d'huile durant 15 secondes sur chaque face ; puis salez, poivrez et ajoutez-la aux légumes. Couvrez et laissez mijoter encore quelques minutes avant de retirer du feu.

4 Entre-temps, nettoyez votre salade et découpez-la à la main de sorte qu'on puisse la manger facilement. Érigez avec de petits nids sur quatre assiettes. Rincez le cerfeuil, essorez-le, hachez-le et ajoutez-le

aux légumes. Disposez les légumes et la viande dans les nids de salade.

Poêlée de courgettes au saumon

Pour 4 personnes : 3 courgettes • 60 g de pignons de pin • 2 oignons • 2 gousses d'ail • 500-800 g de filet de saumon • 1 citron non traité • 1 bouquet de thym frais • 2 cuil. à soupe d'huile de colza • sel • poivre noir • 4 cuil. à soupe de crème fraîche
Préparation : 30 min.

1 Lavez les courgettes, coupez-les en morceaux de 4 cm de long, puis en bâtonnets épais (selon l'épaisseur de la courgette coupez en quatre ou en six). Faites revenir brièvement les pignons de pin dans une poêle non huilée.

2 Épluchez les oignons et l'ail et hachez-les menu. Rincez le poisson, séchez-le et coupez-le en bandes de 3 cm de large. Pressez une moitié de citron et arrosez le saumon avec le jus. Hachez finement le thym.

3 Faites revenir les morceaux de saumon avec l'huile de colza dans une poêle, 1 à 2 min sur chaque face. Poivrez et salez. Puis retirez-les de la poêle.

4 Dans la même huile, faites revenir les courgettes, les oignons et l'ail pendant 4 min. Assaisonnez avec le poivre, le sel et le thym. Puis rajoutez le saumon et les pignons de pin et faites chauffer de nouveau.

5 Servez avec une noix de crème fraîche et des tranches de citron.

Conseil : le riz sauvage s'harmonisera à merveille avec ce plat, de par son goût et ses couleurs.

Cette poêlée de courgette au saumon est un dîner complet mais néanmoins léger.

Crêpes Arielle

Pour 4 personnes : 1 oignon • 2 cuil. à soupe d'huile de colza • ail en poudre • noix de muscade • 1 cuil. à soupe de crème fleurette • 1 sachet d'épinards congelés • 6 cuil. à soupe de farine complète (blé ou épeautre) • sel • 20 cl de lait • 6 œufs • 100 g de jambon • 200 g de mozzarella • poivre
Préparation : 35 min.

1 Hachez les oignons et faites-les fondre dans l'huile de colza. Ajoutez de l'ail, un peu de muscade fraîchement râpée, la crème liquide et les épinards congelés (selon les indications fournies ajoutez ou non 1 cuil. à soupe d'eau). Couvrez et laissez décongeler lentement. Faites préchauffer votre four à 120 °C.

Bouger donne faim. Heureusement, les crêpes Arielle rassasient.

2 Pendant ce temps, préparez les crêpes : mélangez la farine complète avec un peu de sel et le lait et ajoutez les œufs un à un jusqu'à obtenir une pâte lisse.

3 Faites chauffez un peu d'huile de colza dans une grande poêle, étalez-y ensuite un quart de la pâte pour former un disque fin que vous ferez dorer des deux côtés.

4 Retirez votre crêpe de la poêle. Coupez le jambon et la mozzarella en dés. Garnissez votre crêpe avec un quart des épinards et un quart du jambon et de la mozzarella mélangés. Poivrez, puis roulez la crêpe et maintenez-la au chaud au four dans une assiette.

5 Procédez de même avec les autres crêpes. Vous pouvez garnir la dernière directement dans la poêle chaude. Vous êtes autorisé à servir avec une petite noix de Ketchup !

Toast hawaiien « Seventies »

Pour 4 personnes : 8 à 12 tranches de pain de mie aux céréales complètes ou de pain bis complet • 8 à 12 tranches de jambon • 8 à 12 tranches d'ananas • 8 à 12 tranches d'emmental • cerises confites

Préparation : 20 min.

1 Préchauffez votre four à 180 °C. Recouvrez une plaque de papier de cuisson et disposez les tranches de pain dessus.

2 Garnissez le pain de jambon, puis d'ananas et enfin de fromage. Mettez la plaque au four, et faites cuire 8 à 12 min. Servez lorsque le fromage a fondu.

3 Pour un retour total aux années soixante-dix, décorez vos toasts d'une délicieuse cerise confite.

Conseil : pour que le dîner soit bien équilibré, on accompagnera ce plat d'une salade, par ex. une salade à l'orange et au fenouil : lavez 2 bulbes de fenouil et émincez-les, épluchez une orange et coupez-la en petits morceaux. Mélangez les ingrédients et assaisonnez avec de l'huile d'olive, du poivre et du sel.

Melon au jambon

Pour 4 personnes : 1 melon de cavaillon bien mûr • 1 petit verre de porto • 300 g de jambon

Préparation : 5 min.

1 Le melon doit être mûr, mais pas trop. Coupez-le en deux et ôtez-en les pépins. Évidez chacune des moitiés avec une petite cuillère en formant des morceaux de la taille d'une cerise. Remplissez les deux moitiés de melon vidées avec, arrosez d'un peu de porto et gardez au frais.

2 Servir avec un bon jambon cru de Parme, serrano ou des Ardennes.

Conseil : ce melon au jambon constitue l'entrée idéale d'un dîner léger.

Fricadelles de sébaste et salade d'endives

Pour 4 personnes : 700 g de filets de sébaste • 2 œufs • 1 gros oignon • persil • sel • poivre noir • 2 citrons • huile d'olive • 3 endives • 1 cuil. à soupe de moutarde douce

Préparation : env. 25 min.

1 Lavez les filets de poisson, séchez-les en les tapotant avec un torchon propre, coupez-les en petits morceaux et hachez-les au mixeur. Mélangez le poisson haché avec les œufs, les oignons et le persil hachés, 1/2 cuil. à café de sel, du poivre et le jus d'un citron. Fabriquez avec 8 boulettes que vous ferez revenir pendant 10 min env. dans 2 cuil. à soupe d'huile, en les retournant régulièrement.

2 Lavez les endives, coupez-les en tranches et assaisonnez-les avec le jus de la moitié du deuxième citron, de la moutarde, du sel et 3 cuil. à soupe d'huile. Servez les fricadelles avec les endives et des tranches de citron.

Tartines de fromage frais

Pour 4 personnes : 2 poivrons rouges • 3 oignons de printemps • 2 cuil. à soupe de mélange de fines herbes à l'italienne congelé • 1 cuil. à café de sel • 250 g de maïs en boîte • 500 g de fromage blanc (à 0 % de MG) • 400 g de fromage frais • paprika • ail en poudre • poivre noir • 4 petits pains aux céréales complètes ou une baguette aux céréales • 150 g d'emmental râpé

Préparation : env. 25 min.

1 Préchauffez votre four à 180 °C. Lavez les légumes et nettoyez-les. Coupez les poivrons en dés et les oignons en rondelles. Mélangez-les avec les fines herbes, le sel, le maïs, le fromage blanc et le fromage frais, dans un saladier et assaisonnez avec le paprika, l'ail en poudre et le poivre noir.

2 Coupez votre baguette en deux et tartinez-la avec la pâte obtenue. Saupoudrez les tartines de fromage râpé et faites cuire 8 à 12 min à mi-hauteur du four.

Gaspard n'avait aucune idée de ce qu'était la méthode volumétrique.

Le come back de la soupe

La soupe de Gaspard

« Non, je ne mangerai pas ma soupe ! » C'est l'histoire de Gaspard, un petit garçon en bonne santé et aux joues rondes, qui se mit à maigrir à vue d'œil, car un beau jour il refusa de manger sa soupe... Wilhelm Hoffmann, l'auteur de ce petit conte, en illustra la fin d'une tombe sur laquelle reposait une assiette de soupe ignorée et se dressait une croix pour l'enfant mort de faim.

Les règles de l'alimentation enseignées aux enfants au XIXe siècle étaient des plus rigoureuses. Mais elles n'en étaient pas moins sages, car c'est encore une vérité aujourd'hui : la soupe est l'un des éléments les plus importants au sein d'une alimentation saine et équilibrée.

La minceur dans sa cuillère

Aucun autre plat ne réunit autant d'avantages que la soupe du point de vue de la méthode volumétrique :

- Les légumes contenus dans la soupe sont la base idéale d'une alimentation saine. Ils apportent au corps tout ce dont il a besoin : quantité de glucides, protéines, graisses saines, fibres, vitamines et autres substances nutritives nécessaires y sont renfermés.
- L'ajout d'eau (bouillon) fait, en outre, baisser la densité énergétique des ingré-

dients ce qui érige la soupe au rang de plat idéal pour se rassasier et rester mince, en particulier pour le dîner : un véritable élixir de minceur naturel à boire à la cuillère. Plusieurs études scientifiques l'ont démontré.

Ceci étant dit, une correction à l'horrible histoire de Gaspard s'impose : celui qui mange régulièrement de la soupe reste en bonne santé mais, au contraire du jeune Gaspard au début de l'histoire, reste également mince et en bonne forme physique. À l'opposé, qui refuse la soupe et se nourrit à la place de hamburgers, de frites et de sodas, a toutes les chances de collectionner les bourrelets et de tomber malade !

La caricature est sévère, certes, mais il faut constater que la soupe a de plus en plus de points à son actif : ainsi l'offre en légumes et épices s'est ces derniers temps considérablement enrichie, tandis que nous découvrons la cuisine du monde entier. Les recettes suivantes montrent combien les soupes peuvent être variées, et à la fois simples et rapides à préparer.

Cuisiner de la soupe : du bouillon, pas de mouron !

Pour préparer de bonnes soupes, voici quelques ingrédients et ustensiles que vous devez avoir chez vous en permanence :

- Pour **donner rapidement du goût** à votre soupe, il faut que vous ayez du concentré de légumes ou du bouillon en cubes (il en existe des bio). On vend aussi dans les épiceries fines du bouillon concentré en boîte ou en pot, qui est très bon. Le bouillon ne résout pas seulement le problème du goût, c'est aussi un moyen de réduire le coût de la soupe. Si vous disposez de beaucoup de temps et souhaitez faire de la grande cuisine, vous pouvez préparer vous-même votre bouillon avec des os, de la viande ou du poisson. Mais pour la cuisine de tous les jours, ce n'est pas vraiment nécessaire. Mieux vaut avoir à disposition un bon choix de concentrés de légumes, de bouillons de bœuf et de poule, afin d'apporter un peu de variété à vos préparations.
- **Pour compléter**, il est recommandé aussi d'avoir des pâtes en forme de lettres (pour les petits et les grands), des tortellini, des céréales, des pommes de terre, des oignons, de l'ail, un bouquet garni, des légumes et des épices congelés (qui pourront servir de base à une soupe rapide).
- **L'ustensile le plus important** est le mixeur plongeant. L'arôme de nombreuses soupes ne se développe qu'après avoir mixé les légumes. Sans qu'on ait à ajouter de matières grasses, la soupe se fait plus crémeuse et en plus elle rassasie mieux. Avec la salade, la soupe est le dîner idéal, car la sensation de satiété dure longtemps sans que les aliments pèsent pour autant sur l'estomac.

Soupe laotienne aux fruits de mer

Pour 4 personnes : 500 g de crevettes fraîches ou congelées • 500 g de filet de poisson à chair blanche • 3 cm de gingembre • 3 piments • 2 oignons • 3 cuil. à soupe d'huile de colza • 4 tomates • 75 cl de fond de sauce pour poisson • 4 feuilles de limette • 1/2 boîte d'ananas en morceaux • 1 cuil. à soupe de concentré de tamarin • 1 cuil. à soupe de sucre de canne • 2 cuil. à soupe de jus de citron vert ou de citron • 1/2 bouquet de coriandre • sauce de soja ou sel

CONSEIL

Comment gérer les restes de soupe

Il n'y a rien de plus apte à la congélation que la soupe : dès qu'il vous en reste un peu, versez-la dans une boîte en plastique dotée d'un couvercle (et supportant le congélateur). Laissez-la refroidir et mettez-la ensuite dans un congélateur 3 étoiles (***). Votre petite soupe s'y conservera au moins deux semaines. Dès que vous manquerez de temps, il vous suffira de la ressortir pour disposer d'un délicieux repas en quelques minutes.

Il en va de même avec les légumes congelés que l'on utilise comme base pour cuisiner les soupes : un mélange de légumes congelés acheté au supermarché, un cube de bouillon et en un rien de temps un délicieux minestrone apparaîtra dans votre assiette ! Ayez donc toujours quelques sachets de légumes congelés à la maison. Ils vous aideront à cuisiner de bons repas équilibrés en un tour de main.

Préparation : 45 min.

1 Décortiquez les crevettes et nettoyez-les (les crevettes congelées sont déjà prêtes à l'emploi). Coupez le poisson en gros dés de 2 cm de côté.

2 Râpez le gingembre et faites-le revenir dans une casserole avec les piments et les oignons hachés dans 1 cuil. à soupe d'huile de colza, jusqu'à ce que les oignons fondent. Coupez les tomates en petits morceaux, retirez la partie dure du prolongement de la queue et ajoutez-les dans la casserole.

3 Versez 75 cl d'eau et le fond de sauce pour poisson. Coupez les feuilles de limette en lamelles que vous ajouterez dans la casserole avec les morceaux d'ananas, le concentré de tamarin, le sucre et le jus de citron ou de limette. Laissez mijoter 15 min env.

4 Pendant ce temps faites revenir le poisson et les crevettes dans 2 cuil. à soupe d'huile env. 10 min. Lavez la coriandre, coupez-la et saupoudrez-la par-dessus.

5 Assaisonnez la soupe à votre convenance avec du sel ou de la sauce de soja, puis versez-la sur le poisson et les crevettes chauds disposés dans les assiettes.

Minestrone molto presto

Pour 4 personnes : 1 oignon • 2 cuil. à soupe d'huile d'olive • 1 gousse d'ail • 1 cuil. à café de sucre • 2 cubes de bouillon • 1 sachet de légumes congelés • sel • poivre noir • 20 g de parmesan.

Préparation : 15 min.

1 Hachez l'oignon et faites-le revenir dans une grande casserole avec de l'huile d'olive. Ajoutez l'ail pressé et faites-le revenir avec pendant 1 min. Versez le sucre, puis 1 l d'eau et ajoutez les 2 cubes de bouillon.
2 Versez les légumes congelés dans la casserole. Après qu'ils ont décongelé, laissez encore mijoter 5 à 10 min : il faut qu'ils soient cuits, mais qu'ils restent fermes sous la dent. Salez et poivrez.
3 Râpez le parmesan et saupoudrez-en 1 cuil. à café sur chaque assiette de minestrone.

Minestrone molto fresco

Pour 4 à 6 personnes : 1/2 chou-fleur • 100 g de haricots verts • 2 carottes • 1 courgette de taille moyenne • 3 branches de céleri • 1 oignon • 1 gousse d'ail • 2 cuil. à soupe d'huile d'olive • 1,5 l de bouillon • 150 g de petits pois
Préparation : 45 min.
1 Coupez et nettoyez les bouquets du chou-fleur, lavez les haricots verts, épluchez les carottes et coupez-les en rondelles, épluchez les courgettes et coupez-les en petits dés, nettoyez les branches de céleri et coupez-les en petites lamelles.
2 Faites cuire à feu doux dans de l'huile d'olive les haricots verts avec les oignons hachés et l'ail coupé fin. Versez le bouillon par-dessus, puis ajoutez le chou-fleur et le céleri et laissez mijoter l'ensemble env. 7 min.
3 Ajoutez ensuite les carottes et les courgettes et attendez 5 min de plus, puis versez les petits pois et laissez cuire encore 5 min à petit feu.
Variante : vous pouvez varier les légumes à volonté et remplacer par exemple le céleri par un bulbe de fenouil ou encore ajouter 3 pommes de terre coupées en dés que vous ferez cuire avec le reste de la soupe pendant 15 min : c'est une excellente alternative.

Minestrone molto fresco aux légumes de saison.

Soupe à la patate douce

Pour 4 personnes : 1 oignon • 2 cuil. à soupe d'huile de colza • 300 g de carottes • 700 g de patates douces • 75 cl de bouillon • poivre de Cayenne • cumin • sel • 4 cuil. à soupe de crème fleurette • 1 bouquet de persil

Préparation : 35 min.

1 Faites fondre les oignons hachés dans l'huile de colza pendant 3 min et ajoutez-y les carottes lavées et coupées en rondelles.

2 Attendez 5 min, puis ajoutez les patates douces épluchées et coupées en dés ainsi que la moitié du bouillon. Couvrez et laissez mijoter pendant 20 min env.

3 Retirez la casserole du feu et réduisez les légumes en purée au mixeur.

4 Ajoutez le reste du bouillon que vous aurez fait chauffer et assaisonnez avec le poivre, le cumin et le sel.

5 Au moment de servir, versez un nuage de crème dans chaque assiette, puis hachez le persil et saupoudrez les soupes avec.

Conseil : à la place de la crème et du persil, vous pouvez opter pour un filet d'huile de graines de courge et 1 cuil. à soupe de graines de courge par assiette ; ce sera tout aussi bon.

Soupe au brocoli d'Hillary

Pour 4 personnes : 500 g de brocoli • 1 gros oignon • 1 cuil. à soupe d'huile de colza • 1 cube de bouillon • sel • 2 cuil. à café de sucre • 4 cuil. à soupe de crème fleurette • cumin • poivre noir • poivre de Cayenne • 80 g de cerneaux de noix

Préparation : 35 min.

1 Cette soupe au brocoli, que Bill Clinton apprécie apparemment aussi, est très rapide à préparer et excellente : ôtez les tiges épaisses du brocoli frais et lavez les fleurs à l'eau chaude.

Du brocoli : pour changer, servez-le en soupe.
Attention aux éclaboussures de soupe brûlantes lorsque vous mixez !

2 Faites revenir l'oignon haché dans une casserole avec l'huile de colza pendant 3 min. Ajoutez les fleurs de brocoli et 50 cl d'eau, le cube de bouillon, le sel et le sucre. Couvrez et laissez mijoter env. 10 min, les légumes devant rester fermes sous la dent.

3 Retirez la casserole du feu et mettez de côté quelques belles fleurs de brocoli. Ajoutez la crème, puis passez la soupe au mixeur et assaisonnez avec les épices.

4 Au moment de servir, disposez sur les assiettes les fleurs de brocoli que vous aviez gardées, puis versez la soupe par-dessus et saupoudrez avec les noix hachées.

Conseil : si vous n'avez pas de noix, les graines de lin conviennent aussi très bien. Elles sont jolies dans l'assiette et vous apportent en plus plein d'oméga 3.

Soupe à la tomate de Tom

Pour 4 personnes, en entrée : 1 gros oignon • 1 cuil. à soupe d'huile d'olive • 1 boîte de tomates pelées (800 g) • 1 cube de bouillon • sel • 1 cuil. à café de sucre • 1 pincée d'ail en poudre • poivre de Cayenne • poivre noir • 1 cuil. à café de crème fleurette • 1/2 bouquet de basilic

Préparation : 15 min.

1 Faites fondre l'oignon haché dans de l'huile d'olive pendant 3 min, ajoutez les tomates et faites cuire brièvement. Assaisonnez avec le bouillon, le sel, le sucre, l'ail en poudre, le poivre de Cayenne et le poivre noir.

2 Passez au mixeur, et au moment de servir, ajoutez un peu de crème et de basilic frais dans chaque assiette. Si vous avez des croûtons, n'hésitez pas à les mettre aussi !

Conseil : si des invités surprise se présentent, il est possible d'étendre cette soupe ultrarapide avec du concentré de tomate en ajoutant juste un peu plus d'épices.

Cool le concombre

Pour 4 personnes : 50 g de pignons de pin • 2 gousses d'ail • sucre • 60 cl de bouillon de bœuf • 1 gros concombre sortant du réfrigérateur • 1 bouquet d'aneth • 1 bouquet de ciboulette

Préparation : 10 min + temps de refroidissement.

1 Faites dorer les trois quarts des pignons dans une casserole, sans matière grasse. Épluchez les gousses d'ail, hachez-les et faites-les revenir aussi avec un peu de sucre.

2 Versez le bouillon par-dessus l'ail et les pignons, puis retirez du feu, et faites refroidir. Épluchez le concombre ou contentez-vous de le laver selon votre goût, puis coupez-le en petits morceaux.

3 Mixez le bouillon froid avec le concombre et l'aneth. Avant de servir, lavez la ciboulette, coupez-la et saupoudrez la soupe avec, ainsi qu'avec le reste des pignons de pin.

Conseil : cette soupe est bonne glacée ou tiède avec du pain ciabatta et du pain à l'ail. Elle est parfaite pour les chaudes soirées d'été !

Un petit goûter ?

La journée volumétrique idéale ne comporte que trois repas qui, normalement, suffisent. Toutefois, il peut arriver que l'on soit pris d'une petite faim en dehors de ces repas, en particulier l'après-midi, et qu'on ait besoin d'un apport supplémentaire.

Couleur et diversité

Comment répondre à cette petite faim ? Une chose est sûre, pas avec une barre chocolatée ou un sachet de chips bourré de lipides. Il en existe certes une grande diversité, mais dans l'ensemble, ces aliments contiennent beaucoup trop de calories. Malheureusement, ils sont si abondants dans notre environnement qu'il est difficile de ne pas être victime de leur pouvoir de séduction, même si on a travaillé dur pour s'offrir une alimentation saine et équilibrée aux repas.

Des bâtonnets de légumes

Qui ne peut s'empêcher de grignoter le soir doit absolument connaître les bâtonnets de légumes ! Il suffit de prendre quelques légumes frais – comme vous devez toujours en avoir chez vous – et d'arroser ces petites bombes à vitamines avec un jus de citron. Le poivron rouge coupé en bandes, les carottes coupées en quatre dans le sens de la longueur, les demi-branches de céleri ou les bâtonnets de chou-rave conviennent parfaitement.

Des fruits à grignoter

Il n'y a pas que les enfants qui adorent grignoter des petits morceaux de fruits... Vous verrez, il existe une quantité incroyable de type de pommes, de poires, de kiwis, de mandarines, d'oranges, de pêches, de pamplemousses, de prunes, de raisins qui n'attendent que de combler vos besoins en vitamines et vos envies de sucré. Certaines chaînes de supermarché ont d'ailleurs compris qu'elles pouvaient gagner encore plus d'argent en offrant des coupes de salade de fruits fraîche toute faite. Il est de moins en moins rare de trouver dans les rayons de l'ananas frais déjà épluché, des fraises, du melon, de la papaye ou du kiwi déjà coupés, un fait appréciable pour les célibataires ou les petites familles, car on n'a pas toujours envie d'être obligé de manger de l'ananas pendant des jours.
Quoi qu'il en soit, il est très facile de se préparer soit même sa petite coupe de fruits et/ou de légumes en un tour de main.

Crevettes à l'ananas

Pour 4 personnes : 1 boîte d'ananas • 2 branches de céleri • 1 petite boîte de mandarines au sirop • 250 g de crevettes • 1 pot de crème fraîche • 1 citron • 5 cl de sauce barbecue • 1 cuil. à café de sucre de canne • poivre noir • sel • 4 feuilles de romaine

1 Coupez l'ananas et le céleri lavé en petits morceaux et mélangez-les avec les quartiers de mandarines.

2 Lavez les crevettes et séchez-les en les tamponnant avec un torchon.

3 Mélangez la crème avec le jus de citron, la sauce barbecue, le sucre, le poivre et le sel pour obtenir une sauce.

4 Prenez 4 verres et placez une feuille de salade lavée dans chacun d'eux, ajoutez les crevettes et les fruits, puis versez la sauce par-dessus. C'est fini. Ce mets fin peut aussi être servi en entrée.

Délicieuses baies

Grâce à la réduction du coût du transport aérien, nous disposons toute l'année de fraises, de framboises, de cassis, de myrtilles, de groseilles et de toutes sortes d'autres baies qui nous viennent du monde entier. Attention toutefois, cela contribue à la pollution environnementale. Mieux vaut consommer des fruits de saison, ou essayer les baies congelées, vendues à des prix étonnamment abordables. Après décongélation, elles sont un peu molles, mais cela ne remet pas leur goût en cause.

Yaourt glacé aux myrtilles

Pour 4 personnes : 400 g de yaourt entier • 3 cuil. à soupe de miel • 20 cl de jus de cassis • 250 g de myrtilles • 1/2 bouquet de menthe

1 Mélangez le yaourt avec le miel et le jus. Remplissez 4 coupes avec et mettez-les au congélateur pendant env. 1 h.

2 Servez le yaourt glacé avec les myrtilles fraîches et quelques feuilles de menthe.

L'entremets autrement...

Attention, il est déconseillé de suivre à la lettre les indications données sur les boîtes de préparation pour entremets. La quantité de sucre indiquée est bien trop élevée. Par ailleurs, ajoutez du cacao plutôt que du chocolat en poudre sucré.

Entremets au chocolat avec sa poire hérisson

Pour 4 grands ou jeunes enfants : 50 cl de lait écrémé • 1 sachet de préparation pour entremets au chocolat • 2 cuil. à soupe de sucre • 1 cuil. à soupe de cacao • 2 poires fraîches ou en boîte • 50 g d'amande en bâtonnets • 8 raisins secs • 4 cuil. à café de noix de coco râpée

1 Mettez 4 coupes au réfrigérateur.

2 Chauffez 40 cl de lait d'un côté tandis que vous mélangez le reste du lait froid avec la préparation pour entremets, le sucre et le cacao. Attention à ne pas faire de grumeaux ! Lorsque le lait est à ébullition, retirez-le du feu et ajoutez-y la préparation. Faites chauffer de nouveau brièvement tout en remuant au fouet. Versez dans les coupes.

3 Une fois les entremets devenus fermes, démoulez-les sur des assiettes. Épluchez les poires, coupez-les en deux et décorez-les en fabriquant des piquants avec les amandes et des yeux avec les raisins secs. Ornez enfin les entremets de noix de coco râpée.

Pour petits et grands enfants : l'entremets au chocolat et sa poire hérisson.

Du müesli

Si un après-midi, vous devez faire face à une irrésistible envie de grignoter, le mieux est d'opter pour un müesli (voir aussi les recettes p. 92).

Müesli croustillant aux fruits rouges

Pour 4 personnes : 50 cl de kefir • 1 cuil. à soupe de miel • cannelle • 500 g de mélange fraises, myrtilles et groseilles • 2 cuil. à soupe de sucre • 50 g de noix au choix • 4 cuil. à soupe de müesli croustillant

1 Mélangez le kefir avec le miel et une pincée de cannelle. Coupez les fraises en deux et mélangez-les avec les autres fruits et le sucre. Répartissez les fruits rouges dans des coupes.

2 Versez le kefir sur les fruits. Hachez les noix que vous aurez choisies et saupoudrez-les avec le müesli sur le kefir.

Les dix règles d'or du régime volumétrique

Vous savez maintenant comment vous pouvez atteindre lentement mais sûrement votre poids idéal. Voici rappelées brièvement les dix règles les plus importantes de la méthode volumétrique :

1. Observez-vous et essayez de savoir **quand vous avez réellement faim** et de comprendre pourquoi vous mangez sans faim le reste du temps. Normalement, trois gros repas par jour suffisent.

2. Faites de **l'eau votre meilleure amie**. Qu'elle vous accompagne partout. Un verre obligatoire le matin, avant et après votre séance de sport matinale et avant chaque repas.

3. **Prenez votre temps pour manger**. Profitez de chacun de vos trois repas. Et apprenez à reconnaître l'agréable sensation de la satiété qui apparaît peu à peu.

4. **Veillez à la qualité** des aliments : lisez les indications sur les étiquettes en faisant vos courses.

5. **Réduisez votre consommation de sucre**, de **mauvaises graisses** saturées et **d'alcool**.

6. Ayez toujours chez vous **des provisions** suffisantes d'aliments bons et sains.

7. **Mangez chaque matin jusqu'à satiété** un petit-déjeuner volumétrique équilibré avec beaucoup de fruits.

8. Le **déjeuner** doit être votre repas le plus volumineux : mangez à volonté !

9. Attention aux **pièges alléchants pleins de sucre et de matières grasses** du buffet des desserts ! Laissez le gâteau à la crème et optez pour un morceau de tarte aux fruits ou une autre douceur légère.

10. Le soir, réduisez la quantité de glucides absorbée, et prenez votre dernier repas au moins trois heures avant d'aller vous coucher. De cette manière, rien ne pourra gêner le **processus nocturne de brûlage des graisses** dans votre corps.

Chez le même éditeur

Carewicz O. et D.B. – *En finir avec la cigarette*
Collier R. – *Renaître grâce à une cure intestinale*
Fevers-Schorre B. – *Les hormones*
Flade S. – *Allergies*
Frohn B. – *Anti-âge*
Grillparzer M. – *Brûleurs de graisse*
Grillparzer M. – *Maigrir sans avoir faim*
Grillparzer M. – *La soupe magique : le livre culte*
Grillparzer M. – *Régime low carb : réduire les glucides*
Hederer M. – *Courir pour maigrir*
Helle E. – *Aloe Vera*
Hoffmann I. – *Rester mince après 40 ans*
Holdau F. – *Régime et exercices pour une silhouette de rêve*
Jeanmaire T.M. – *Réveil musculaire*
Kolb K., Miltner F. – *Améliorez votre mémoire*
Kraske E.M. – *Équilibre acide-base*
Kuhn D. – *Minceur et santé pour votre enfant*
Kuhnert C. – *Avoir un corps superbe grâce à la méthode Pilates*
Kullenberg B. – *Les bienfaits du vinaigre de cidre*
Lackinger-Karger I. – *La ménopause*
Langen D. – *Le training autogène*
Lesch M., Förder G. – *Kinésiologie*
Lockstein C. – *Relax !*
Nollau N. – *Faire son bilan de santé*
Pfennighaus D. – *Se sentir bien pour vivre mieux*
Pospisil E. – *Le régime méditerranéen*
Rigelin P. – *Stretching*
Rüdiger J. – *La marche rapide*
Rüdiger M. – *Modeler son corps*

Chez le même éditeur

Sabnis N. – *Mincir en douceur grâce à l'ayurveda*
Sator G. – *Feng Shui : habitat et harmonie*
Schmauderer A. – *Gymnastique de la colonne vertébrale*
Schmidt S. – *Fleurs de Bach*
Schutt K. – *Ayurveda*
Schutt K. – *Massages*
Schwarz A., Schweppe R. – *Thé vert*
Schwoerer C.V., Franck M. – *Bien vivre avec son diabète*
Seelig H.P., Meiners M. – *Analyses médicales*
Sesterhenn B. – *Purifier son organisme*
Sommer S. – *Homéopathie*
Stellmann M. – *Médecine naturelle*
Strumpf W. – *Homéopathie pour les enfants*
Tempelhof S. – *Fatigue chronique : fibromyalgie*
Tempelhof S. – *Ostéopathie*
Tempelhof S. – *Vaincre le mal de dos*
Tschirner T. – *8 minutent suffisent pour la forme*
Voormann C., Dandekar G. – *Massages pour bébé*
Wade J. – *Brûler les graisses*
Wagner F. – *L'acupression digitale*
Wagner F. – *Le massage des zones rélexes*
Werner G., Nelles M. – *L'école du dos*
Werner M. – *Les huiles essentielles*
Wiesenauer M. – *Homéopathie anti-stress*
Wiesenauer M. – *L'homéopathie facile*
Zauner R. – *Soigner le dos par des méthodes naturelles*

Index général

Index des recettes

Avertissement
Les conseils, méthodes et recettes de cet ouvrage ont été donnés par l'auteur en toute bonne foi, en se fondant sur sa propre expérience et après avoir effectué les recherches et vérifications nécessaires avec le plus de soin possible. Toutefois, ce livre ne peut en aucun cas remplacer l'avis d'un médecin compétent. Le lecteur garde l'entière responsabilité de ses actes. L'auteur, comme l'éditeur, ne saurait être tenu responsable d'éventuels dommages pouvant résulter des l'application ou de l'interprétation des indications pratiques fournies.

Crédits photographiques
Studio L'EVEQUE Harry Bischof & Tanja Major (stylisme)
Sauf photos p. 25, AKG ; p. 26, Boschmann ; p. 20, Focus Magazin (D. Gust) ; p. 29, Getty ; 4e de couv. gauche, p. 8, 32, 66, 84, 96 (Bischof), p. 3 droite, 15, 53 (Olonetzky), p. 13 (Peisl), p. 27, 64 (Hoernisch), p. 31, 128 (Dingel), p. 41, 43 (Lenz), p. 44, 45 (Weber), p. 59 (Seckinger), p. 71 (Schmitz), p. 71 noix (Teubner), p. 118 (Newedel), GU ; 4e de couv. droite, p. 10, 3e de couv. droite, Iconica ; p. 6, 61, Ifa ; p. 112, Interfoto ; 1re de couv., Jahreszeiten Verlag ; p. 38, Jump ; p. 16, 19, 48, Mauritius ; p. 2 gauche, 3 gauche, 12, 33, 50, 51, 52, 78, 81, 89, 97, 106, Stockfood ; p. 55, 62, 76, Zefa.

Tableaux : Detlef Seidensticker

Traduit de l'allemand par Hélène Tallon

Couverture : modzilla!

ISBN : 978-2-7114-1895-4

Dépôt légal : janvier 2007

Achevé d'imprimer en Chine par Media Landmark Investments Ltd, Hong-Kong

L'essentiel en un clin d'œil

UN SEUL AMINCISSANT : L'EAU

Des chercheurs allemands ont démontré que boire de l'eau faisait mincir, dans la mesure où cela faisait augmenter les dépenses énergétiques du corps : ce dernier brûle des calories à chaque verre d'eau bue à température ambiante, alors même que l'eau ne lui en apporte aucune. Boire au minimum 1,5 l d'eau par jour vous fera donc maigrir de manière naturelle. C'est l'une des règles de base d'une alimentation saine.

Ne rien s'interdire

Les régimes traditionnels et leur lot d'interdi
tions n'ont pas été jusqu'à présent d'un grar
succès. C'est la raison pour laquelle la méthoc
volumétrique mise sur les plaisirs du goû
manger doit être agréable, la planification
la préparation des repas ne doivent pas êt
compliquées, et la nourriture doit rester bc
marché. Le régime volumétrique ne vous aff
mera pas, mais vous aidera à passer
douceur à une alimentation savoureuse, sair
et équilibrée.

MANGER À SATIÉTÉ EN RESTANT MINCE

Il a aussi récemment été découvert que nous éprouvions le besoin de manger jusqu'à ce que nous ressentions la sensation de satiété, quelle que soit la quantité de calories contenue dans la portion nécessaire. Conclusion : si l'on mange une grosse portion de nourriture à faible densité calorique, on vient facilement à bout de sa faim sans pour autant avoir à craindre la surcharge pondérale. C'est le principe de base de la méthode volumétrique.